Marché Conclu

Practical Business French

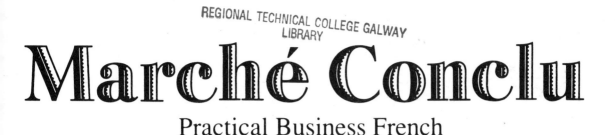

Second Edition

Kay Heppell • Edith Rose • Nicole Tosser

Acknowledgements

We would like to thank William Bartlett & Son Ltd. of High Wycombe, Bucks for their invaluable co-operation and help in the production of this course. We wish to stress that, whilst the material is intended to be as realistic as possible, we do not claim to represent the specific trading practices and policies of William Bartlett & Son Ltd.

The authors and publishers would like to thank the following for their help and for permission to reproduce copyright material: la société Caugant, Rosporden; le restaurant La Fée Tout, Angers; Marie-Hélène Frigout for her dialogue and *7 à Paris*; Key Services International, Paris; Perfawrap Ltd, High Wycombe; Polyvend Ltd, Witney; Salon des Arts Ménagers de Paris.

The authors and publishers would also like to acknowledge the following for use of their material: Champagne Mumm; Salon de l'etudiant, Paris; Société Générale, Paris.

We would like to express our special thanks to our colleague Derek Brown for all his help with the word processor.

A la mémoire de nos pères

British Cataloguing-in-Publication Data

Heppell, Kay
Marché Conclu. – 2nd ed.
I. Title II. Rose, Edith III. Tosser, Nicole
448.3

ISBN 0-340-561343

First published in Great Britain 1988
Second edition 1992

Impression number 10 9 8 7 6 5 4 3 2
Year 1998 1997 1996 1995 1994 1993

Typeset by Litho Link Ltd., Welshpool, Powys, Wales
Printed in Great Britain for Hodder and Stoughton Educational, a division of Hodder Headline PLC, Mill Road, Dunton Green, Sevenoaks, Kent TN13 2YA by Thomson Litho Ltd., East Kilbride

Contents

Introduction

The foreign language learning field has in recent years changed quite rapidly in Britain with not only the introduction of new teaching and learning techniques but also with orientations of subject matter. One of the important changes in attitudes to learning foreign languages has been the increasing recognition of the value of a business-related foreign language curriculum, not only for students in secondary and higher education but for practising businessmen as well. All too often traditional 'school French' has acted as an excuse for incompetence in foreign languages for the British businessman abroad and to meet this need for foreign language training, it is now quite common to find in colleges, polytechnics and universities a variety of foreign language programmes with a specific business orientation.

It is our experience, however, that despite a number of books and materials on the market for French, in many ways the material resources for this new orientation in language learning are still very narrow. This text and associated cassette material are a modest attempt to broaden the base of such resources. We hope that they will find a use in a number of vocationally oriented teaching programmes in French for specific tutoring: adult education classes; businessmen; more traditional Higher National Diploma and degree students of business and management who take an option in French; courses for the training of bilingual secretaries and the associated RSA examinations; travel and tourism courses, and indeed, anywhere where someone with basic 'school French' (i.e. a basic GCSE standard) wants to improve his or her communication skills in French in a specific business context.

The approach adopted in the text and cassettes of *Marché Conclu* is one which we have developed over a number of years in running and teaching both short and long programmes of foreign language training in the specific field of export marketing. In particular we believe that there is a set of specific basic skills in a foreign language which many exporters lack and which many current foreign language learning resources fail to provide. Our ideas here are not original, nor particularly unobvious, but we have tried to incorporate them as a thread through the text. The three key points here then are:

(1) French and Export
A specific feature of this course is its orientation to the field of import-export business negotiations in French. We have attempted to outline most of the basic situations in which a British businessman or woman would find him or herself in dealing with a French customer, and in particular have used examples drawn from the authors' own practical experiences in English and French speaking companies.

(2) Oral/Aural Skills
It is a truism that traditional teaching in French, both in school and in higher education, has in the past concentrated on written skills in translation at the expense of other linguistic skills. We have recognised the inadequacy of this approach by making the lead vehicle for each chapter of text the notion of a spoken dialogue: this key material then forms the base for grammatical and practice exercises, role plays, comprehension questions and student tasks. The interpreting exercises are all on cassette with transcripts appearing in the accompanying Support Book. The thrust throughout is on the students' acquisition of oral/aural skills and their practice. It is for that reason that the cassettes which accompany the course are an integral element of the programme and students are advised to treat them as a resource as important as the written text itself.

(3) Self-teaching
We recognise that for many businessmen time is sometimes too precious for them to commit themselves to a standard language course in the evening or even in-company over a period of time in order to develop their language skills. We have tried to recognise this by providing a programme which we hope will allow those under pressure of time to use the materials as flexibly as possible and to provide much practice in the use of French in business situations for the solitary learner. Of course, tutorial help and practice with other people is vital in true language learning but we have tried to recognise practical reality and the growing importance of distance-learning.

Content

The programme comprises eight main business/export situations consisting of eleven separate dialogues, all recorded on cassette. Each dialogue takes the businessman a stage further in his progress, from simple activities like handling airport and hotel bookings to some quite complicated negotiation sessions, towards finally clinching the deal.

Around each dialogue is structured a vocabulary list, again specifically related to the business/export context and including key words used in the situations, together with a set of exercises/questions which consists of the following:

* Comprehension questions in French on the dialogues
* Re-translation exercises
* Practice exercises on points of grammar and use of expressions
* Role play development in French stemming from the dialogues
* Aural comprehension and interpreting exercises
* Students tasks and assignments.

All French elements of each dialogue are recorded on the accompanying cassettes.

U*nits*

List of situations

1 Prise de rendez-vous d'Angleterre

2 Arrivée à l'aéroport

3 Arrivée à l'hôtel

4 Arrivée dans l'entreprise: dialogue avec la réceptionniste

5 Arrivée dans l'entreprise:
(1) et (2) Rencontre avec Mme Gaspart: Présentation de la société William Bartlett et de sa gamme de produits
(3) Discussion sur les meubles et prix. Proposition d'une visite en Angleterre

6 Visite de la société William Bartlett

7 Au restaurant avant le repas

8 Deuxième visite à l'entreprise:
(1) Rencontre avec Mme Gaspart. Commande, conditions de paiement et de livraison
(2) Publicité, emballage, transport

Synopsis

Mr Alan Reynolds is the Sales Director of William Barlett & Son Ltd., a furniture manufacturer of High Wycombe in Buckinghamshire. His firm has reached its target sales in the UK and is now intending to go into the export market. It has recently taken over another furniture manufacturing company in the same town and plans to use this excess capacity for export purposes. A market survey carried out on behalf of William Bartlett & Son Ltd. has shown that France could be a possible target area.

At the suggestion of Tissurama, one of Bartlett's French suppliers of fabrics, Mr Reynolds telephones Madame Gaspart, Purchasing Director of Meublat S.A., a chain of French stores specialising in the sale of period furniture. A meeting is arranged to take place in Meublat's head office in Paris between Mr Reynolds and Madame Gaspart.

During this meeting, Mr Reynolds explains to Madame Gaspart that William Bartlett wish to find an agent or distributor in the Paris area and gives details of his company and its products. Madame Gaspart expresses an initial interest in becoming a distributor for William Bartlett and decides to visit High Wycombe to see the company for herself.

After this visit to High Wycombe, Mr Reynolds returns to Paris where, following a pleasant business lunch, he clinches the deal with Madame Gaspart.

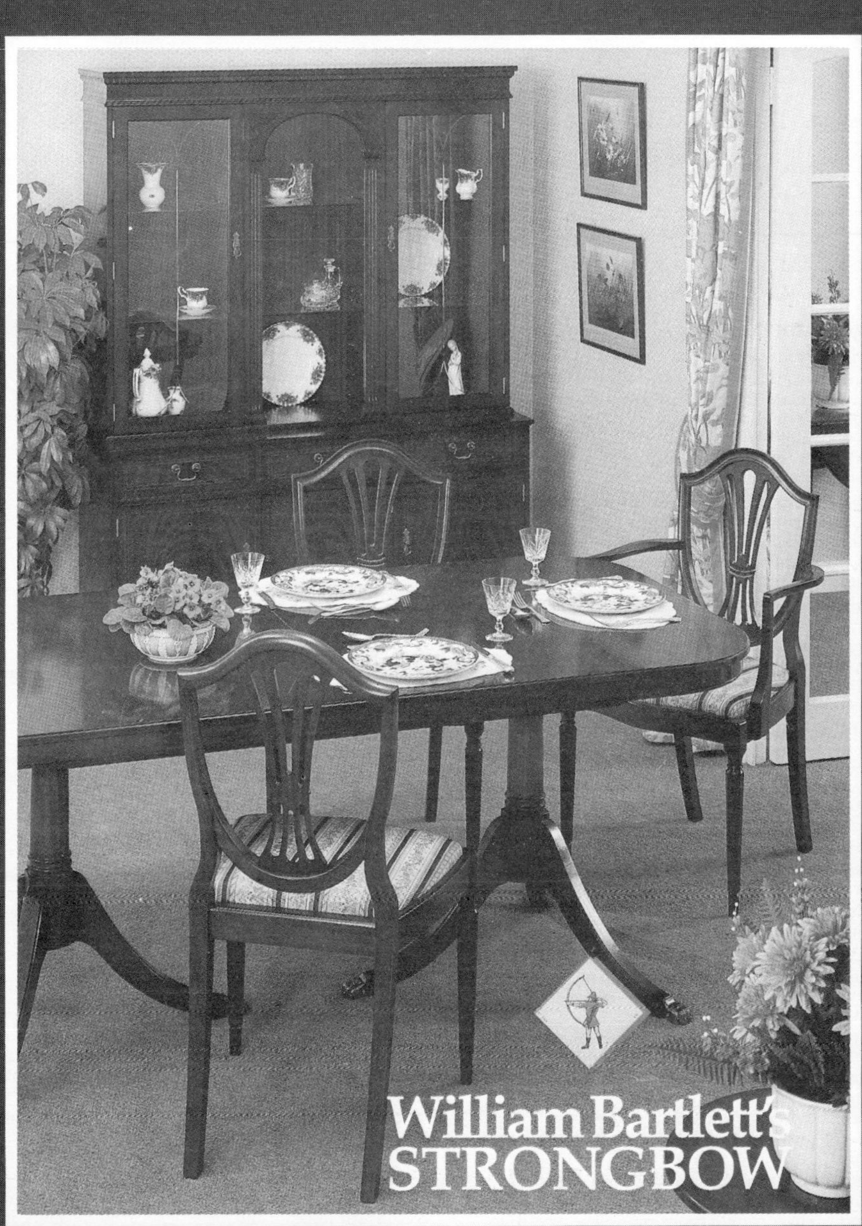

MAHOGANY
COLLECTION

Five generations of hand-crafted furniture

For more than 120 years Bartletts have been making traditional furniture in the contemporary style and today they still buy their timber in the log, cut, season, kiln and process it through to the finished article in their factory at High Wycombe, combining the best of modern methods with the use of skilled craftsmen.

The 18th century and Regency periods are known as 'The Golden Age of English Furniture'. We like to think Strongbow furniture is bringing to 20th century homes the elegance of those great eras plus the benefits of today's manufacturing techniques.

It is not possible in this broadsheet to give detailed specifications of our furniture but we still use solid timber to a considerable extent, mostly Mahogany or West African Hardwoods. Where veneers are used for decorative purposes, they are 'Real Wood Veneers' cut from specially selected logs of mahogany and yew.

Choosing furniture should be an unhurried task. Remember, you have to live with it for a long time! Faced with your final choice ask yourself: 'Will it still be pleasing to the eye, five, ten, fifteen years from now? Choose Strongbow Furniture and you can be sure of it! Here is furniture with individuality and charm which will stand the test of time and can be collected over the years.

There is a display in our factory showroom at High Wycombe and visitors are always welcome on Monday to Friday from 9am to 4pm but if calling on a Saturday morning, please telephone beforehand.

Orders cannot be placed with us — they must be placed through an appointed Furnisher who stocks Strongbow furniture and on request we will send the names of the stockists in your area.

POLISH COLOURS: To the customer looking for a more mellow finish, we are now offering our Regency mahogany colour – a shade lighter but retaining the warmth of our Sheraton mahogany colour – which emphasizes the texture and beauty of the natural veneers. Ask your stockist to see a pattern colour board of the two colours.

COVERS: We have a fairly wide range of covers carefully selected as being suitable for our dining chairs.
Our Stockists have pattern books and will be pleased to advise you on selection and if necessary they will obtain small cuttings from us for you to match with other fabrics in your room. We are also pleased to use customers' own covers if required and stockists have details of the yardage required and prices when using the customer's cover.

SKIVERS: These are natural products and each will have individual markings thus showing evidence of their origin. These features are part of the beauty of the animal skin and distinguish them from substitutes. Colours available are Green, Gold and Red, with an antiqued finish and real gold tooling.

DETAILS OF FINISH: For many years we and the makers of materials used in the polishing of wood have searched for one which will produce a finish that is heat-resistant, has the appearance of a first-class hand-finish and retains all the beauty and variation of the natural grain in wood. With the introduction of catalysed finishes specially formulated for polishing our traditional furniture, we now have such a material with stains, fillers and matching colours blended for compatibility . . . the initial staining, filling and rubbing down is still done by hand.
The coatings are applied by spray and in between these coatings there is a lot of hand work to ensure a quality finish.

To preserve and enhance the finish all that is necessary is daily dusting with a soft dry duster. It is advisable to work the same way as the grain of the wood and make sure there are no fine hard particles in the dusters used or on the surface before rubbing. An occasional wipe over with a clean cloth dampened with a mild detergent will remove grease marks, dry with a chamois leather and clean duster. It is the daily dusting with clean dry soft dusters that gradually hardens off the polish.

Remember, however, that although the finish is within reason heat-resistant and impervious to most liquids, it is still possible, unless proper care is used, to bruise and dent the wood and scratch the polished surface.

LA BOUTIQUE
Meublat

des meubles qui vous vont bien

45 ans d'expérience
dans le meuble de style et la copie
d'ancien de qualité

PARIS ET REGION PARISIENNE:

75017 PARIS
14 bd Gouvion St-Cyr

75012 PARIS (Style Français)
180 bis, boulevard Diderot

PROVENCE:

20000 AJACCIO
Diamant 2000
Place du Général De Gaulle

74000 ANNECY
Le Grand Passage 4, rue Vaugelas

15000 Aurillac
Place d'Aurinques

84000 AVIGNON
Réidence 'le San Miguel'
4 rue Ninon Vallin

33000 BORDEAUX
61, cours d'Albret

29200 BREST
112, rue Jean-Jaurès

63000 CLERMONT-FERRAND
23, rue Pontgiève

40100 DAX
Avenue Eugène Millies-Lacroix

21000 DIJON
54, rue de Tivoli
(angle rue de la Manutention)

38000 GRENOBLE

59000 LILLE
71, rue de Paris

10000 TROYES
69, rue Urbain-IV

87000 LIMOGES
14, rue Jean-Jaurès

561000 LORIENT
21, rue Victor-Massé

69006 LYON
14, avenue de Saxe

13006 MARSEILLE
3, boulevard Notre-Dame

5700 METZ
101, rue aux Arènes

54000 NANCY
6, rue des Quatre-Eglises

44000 NANTES
8, rue Boileau

06300 NICE
52, avenue de la République

64000 PAU
5, rue Emile-Garet

51100 REIMS
22/24, rue du Cadran St-Pierre

76000 ROUEN
7, rue du Vieux Palais

35000 RENNES
5, place de Colombier

42000 SAINT-ETIENNE

67000 STRASBOURG
27, rue du Marais-Vert

31000 TOULOUSE
61, rue de la Pomme

37000 TOURS
60/62, avenue de Grammont

Nouveau catalogue de 52 pages couleurs, sur simple demande (10 francs en timbres pour participation adresse au magasin le plus proche)

Nom: ____________________

Prénom: ____________________

Adresse: ____________________

____

Tel: ____________________

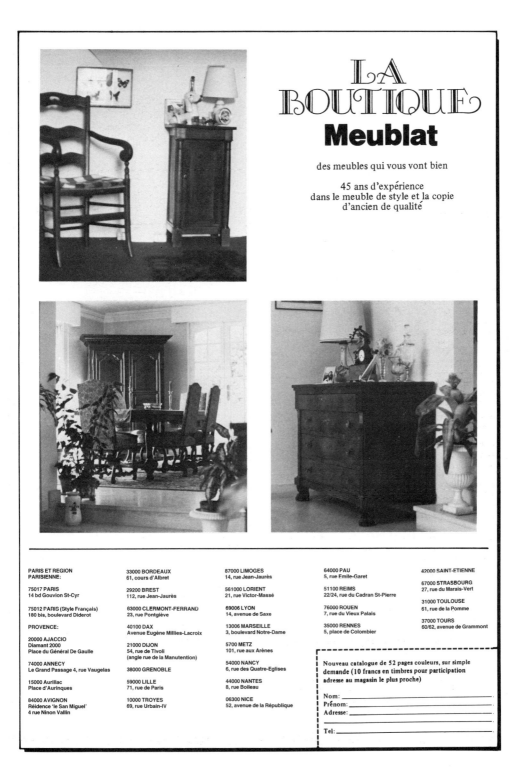

UNIT 1 Prise de rendez-vous d'Angleterre

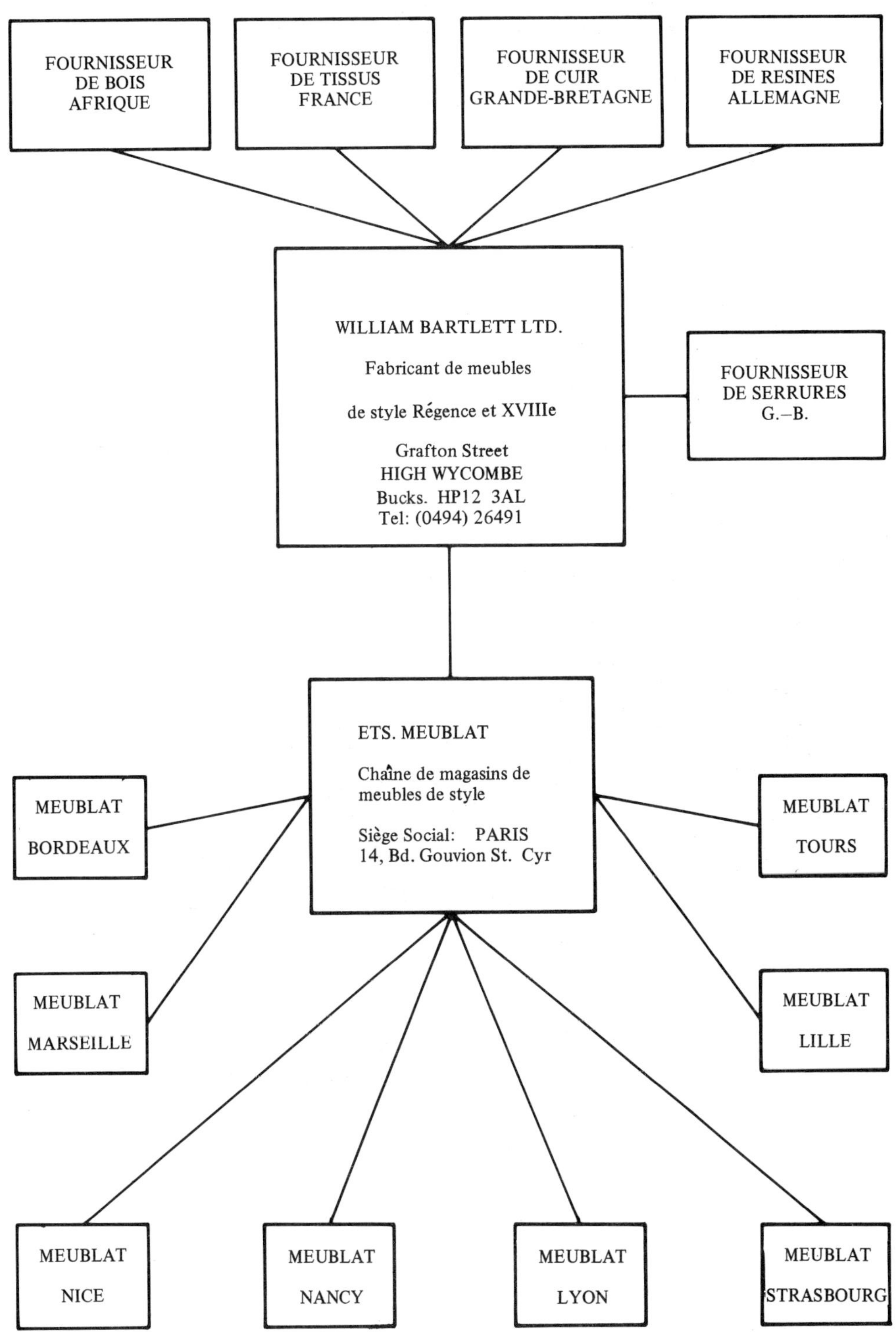
FOURNISSEUR
DE BOIS
AFRIQUE
FOURNISSEUR
DE TISSUS
FRANCE
FOURNISSEUR
DE CUIR
GRANDE-BRETAGNE
FOURNISSEUR
DE RESINES
ALLEMAGNE
WILLIAM BARTLETT LTD.
Fabricant de meubles
de style Régence et XVIIIe
Grafton Street
HIGH WYCOMBE
Bucks. HP12 3AL
Tel: (0494) 26491
FOURNISSEUR
DE SERRURES
G.–B.
ETS. MEUBLAT
Chaîne de magasins de
meubles de style
Siège Social: PARIS
14, Bd. Gouvion St. Cyr
MEUBLAT
BORDEAUX
MEUBLAT
TOURS
MEUBLAT
MARSEILLE
MEUBLAT
LILLE
MEUBLAT
NICE
MEUBLAT
NANCY
MEUBLAT
LYON
MEUBLAT
STRASBOURG

Mr Reynolds —(*compose le numéro*) 010 33 1 45 72 06 62

Réceptionniste—La Société Meublat, j'écoute.

Mr Reynolds —Bonjour Mademoiselle. Est-ce que je pourrais parler au directeur des achats s'il vous plaît?

Réceptionniste—C'est de la part de qui?

Mr Reynolds —M. Reynolds, de la société William Bartlett de Grande-Bretagne.

Réceptionniste—Excusez-moi. J'entends mal. Pourriez-vous épeler votre nom?

Mr Reynolds —C'est donc M. Reynolds R-e-y-n-o-l-d-s de la société William Bartlett W-i-l-l-i-a-m B-a-r-t-l-e-t-t.

Réceptionniste—Vous avez dit de Grande-Bretagne, n'est-ce pas?

Mr Reynolds —Oui, c'est ça.

Réceptionniste—Ne quittez pas. Je vous passe sa secrétaire.

Secrétaire —Allô. Ici la secrétaire de Mme Gaspart, directrice des achats. Mme Gaspart n'est pas là en ce moment. Est-ce que vous voulez laisser un message?

Mr Reynolds —Votre maison m'a été recommandée par la société Tissurama avec laquelle nous travaillons. On m'a dit que votre compagnie était à la recherche d'un fournisseur de meubles anglais. Il se trouve que notre maison se spécialise dans ce type de produit et comme je compte venir en France la semaine prochaine, je me demandais s'il ne serait pas possible de rencontrer Mme Gaspart.

Secrétaire —Attendez, je vais consulter son agenda. Elle n'a rien de prévu le jeudi 8 juin à onze heures. Est-ce que ça vous convient?

Mr Reynolds —Oui, je serai libre à cette heure-là, en fait ce sera mon dernier rendez-vous.

Secrétaire —Donc, disons le jeudi 8 juin à onze heures. Je vais en parler avec Mme Gaspart à son retour. On vous confirmera par télex. A ce propos, est-ce que vous pourriez me donner vos coordonnées, s'il vous plaît?

Mr Reynolds —Ça risque d'être un peu trop compliqué. Je vous envoie aujourd'hui même un télex avec notre nom, adresse, numéro de téléphone et télex.

Secrétaire —C'est parfait, d'autant plus que j'ai des difficultés avec les noms étrangers.

Mr Reynolds —Je vous remercie Mademoiselle, au revoir.

Secrétaire —Au revoir.

Vocabulaire

un rendez-vous, *an appointment*
prendre, fixer un rendez-vous, *to make an appointment*
reporter un rendez-vous, *to postpone, put off an appointment*
annuler un rendez-vous, *to cancel an appointment*
téléphoner à quelqu'un, *to phone someone*
appeler quelqu'un, *to call someone*
passer un coup de téléphone ou un coup de fil, *to give (someone) a ring*
un appel téléphonique, *a phone call*
un coup de fil, de téléphone, *a ring*
un poste, *an extension*
décrocher (le combiné), *to pick up the phone*
raccrocher (le combiné), *to put the phone down, hang up*
composer un numéro, *to dial a number*
Qui est à l'appareil? *Who's speaking?*
M. Durand à l'appareil, *Mr Durand speaking*
C'est de la part de qui? *Who's calling?*
Ne quittez pas, *Hold the line please*
Je vous passe M. Durand, *I'm putting you through to M. Durand*
J'entends mal, *I can't hear properly*
Pourriez-vous répéter s.v.p.? *Could you repeat please?*
Pourriez-vous épeler s.v.p.? *Could you spell that please?*
On vous demande au téléphone, *You are wanted on the phone*
un agenda, *a diary*
consulter un agenda, *to check in a diary*
être libre, disponible, *to be free, available*
être pris, occupé, *to be busy*
avoir quelque chose de prévu, *to have something arranged*
confirmer, *to confirm*
une confirmation, *a confirmation*
les coordonnées: nom, prénom, adresse, no. de téléphone, *details: name, first name, address, telephone number*
envoyer un télex, *to send a telex*
le directeur, la directrice des achats, *purchasing director*
le P.D.G. (Président-Directeur-Général), *Managing Director (M.D.)*
une société, une compagnie, *a company*
une firme, *a firm*
S.A.: Société Anonyme, *limited company*
S.A.R.L.: Société à Responsabilité Limitée, *limited liability company*
se spécialiser dans, *to specialise in*
la fabrication, *the manufacture*
fabriquer, *to manufacture*
la production, *the production*
produire, *to produce*
la vente, *the sale*
un meuble, *a piece of furniture*

un produit, *a product*
une marchandise, *a commodity*
les marchandises, *goods*
un fournisseur, *a supplier*
fournir, *to supply*
se fournir en quelque chose, *to get supplies of*
rencontrer, *to meet*
d'autant plus que, *especially as*
compter faire quelque chose, *to intend to do something*

Exercises

Exercise 1: **Avez-vous bien compris? Essayez de répondre aux questions suivantes:**

1 Qui téléphone à la Société Meublat?

2 A qui M. Reynolds voudrait-il parler?

3 Qu'est-ce que M. Reynolds est obligé de faire pour aider la réceptionniste?

4 A qui M. Reynolds finit-il par parler? Pourquoi?

5 Comment M. Reynolds a-t-il entendu parler de la Maison Meublat?

6 Quel est l'objet de son appel téléphonique?

7 Quand compte-t-il venir en France?

8 Pourquoi la secrétaire consulte-t-elle l'agenda de Mme Gaspart?

9 Quelle heure et quelle date propose-t-elle?

10 Est-ce que ça convient à M. Reynolds?

11 Qu'est-ce que la secrétaire demande à M. Reynolds?

12 Comment la secrétaire va-t-elle confirmer le rendez-vous?

Exercise 2: **Comment diriez-vous en français?**

1 Could I speak to the Managing Director please?

2 Who is calling?

3 Could you please spell your name?

4 Hold on. I am putting you through to his secretary.

5 I was told that you are looking for a supplier of English furniture.

6 I intend to come to France next week.

7 I must check her diary.

8 Does this date suit you?

9 She is free all day on Tuesday.

10 I'll confirm by telex.

Exercise 3: **Practise – Pourriez vous. . .?**

Example

I say:	*You say:*
Je voudrais qu'elle parle plus fort.	Pourriez-vous parler plus fort?

—Je voudrais qu'elle épelle son nom.

—Je voudrais qu'il confirme par télex.

—Je voudrais qu'elle donne ses coordonnées.

—Je voudrais qu'il vienne la semaine prochaine.

—Je voudrais qu'il nous fournisse en meubles.

—Je voudrais qu'il contacte le P.D.G.

Exercise 4: **Practise – Dates, Times**

Whatever the day, week, month, say you'll do whatever is required a week, a day, a month later.

Example

I say:	*You say:*
Vous arriverez le lundi 4.	Non, j'arriverai le mardi 5.

—Vous partirez le jeudi 8.

—Vous viendrez au mois de juin.

—Vous resterez jusqu'à samedi.

—Vous arriverez à 10h du soir.

—Vous rencontrerez le P.D.G. mercredi prochain.

—Vous irez en France à la fin de cette semaine.

—Vous m'appellerez demain matin.

—Vous m'enverrez vos brochures au mois de janvier.

Exercise 5: Practise – Excusez-moi de . . .

Example

I say:	*You say:*
Vous parlez trop vite.	Oui, excusez-moi de parler trop vite.

—Vous êtes en retard.

—Vous me dérangez.

—Vous me faites attendre.

—Vous m'interrompez.

—Vous ne m'avez pas téléphoné.

—Vous êtes arrivé en retard ce matin.

—Vous n'avez pas répondu à ma lettre.

Comprehension

Listen to the two phone calls and make note of the details in order to pass them on to the persons concerned.

Role Play

You phone to make an appointment with the Purchasing Manager of the department store "Les Galeries Lafayette".

Vocabulary

Ready to wear show	Salon du prêt à porter
I look forward to meeting you	au plaisir de vous rencontrer

Standardiste—Les Galeries Lafayette, j'écoute.

You *(Ask if you can be put through to Monsieur Mercier, the Purchasing Manager.)*

Standardiste—Un instant, je vous prie. C'est de la part de qui?

You *(Give your name.)*

Mercier —Allô, Mercier à l'appareil.

You *(Introduce yourself. You are the Export Manager of Reldan Ltd. in the U.K.)*

Mercier —Oui, j'ai entendu parler de votre compagnie. Vous êtes des fabricants de vêtements pour femmes, n'est-ce pas?

You *(Say that's right. Your company specialises in the manufacture of high quality classic garments for women.)*

Mercier —Ça m'intéresse. Je suis toujours à la recherche de produits nouveaux. Pourriez-vous m'envoyer votre catalogue et liste de prix?

You *(Say you are going to Paris to visit "le Salon du Prêt à Porter". Your company has a stand there.)*

Mercier —Ça tombe bien. Moi aussi je vais au salon du Prêt à Porter la semaine prochaine. Nous pourrions peut-être nous rencontrer?

You *(Say it is an excellent idea. Suggest Tuesday morning at 11.30 at the Reldan stand.)*

Mercier —Attendez. Je vais voir si c'est ce jour-là que j'ai prévu d'y aller . . . Parfait, je vous retrouve à 11h30 au stand Reldan.

You *(Say you look forward to meeting him and goodbye.)*

Interpreting

Act as interpreter between Mrs Legrand and Mr Sharp.

Vocabulary

lawn mower	tondeuse (f)
tool	outil (m)
designed	conçu

Tasks

Task 1

Study the following telex then send one to Mrs Michael confirming Mrs Bett's appointment on April 15th at 3 p.m. at the hotel Méridien and thanking her for having sent you their latest catalogue.

```
ATTENTION: MR REYNOLDS

MERCI DE NOUS AVOIR ENVOYE VOS COORDONNEES.
NOUS VOUS CONFIRMONS VOTRE RENDEZ-VOUS AVEC
MADAME GASPART LE JEUDI 8 JUIN A 11H AU
SIEGE SOCIAL.

SALUTATIONS
ISABELLE
MEUBLAT S.A.
```

Task 2

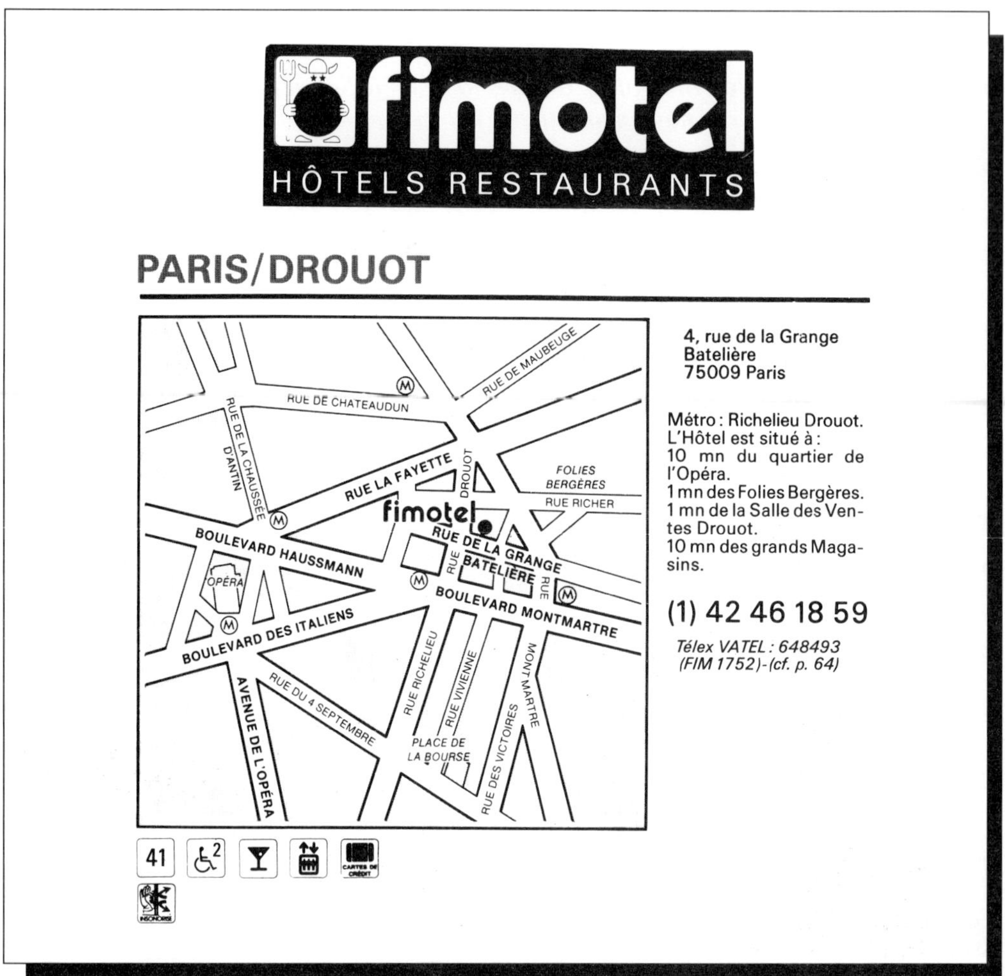

Phone the above hotel and make a reservation for a single room with bath for three nights from 6th to 8th June inclusive in the name of William Bartlett Ltd. and confirm by fax.

Task 3

You have stayed in the above hotel and want to recommend it to a colleague. Using the above information talk about its location and the facilities it offers.

UNIT 2 Arrivée à l'aéroport de Roissy

M. Reynolds arrive à l'aéroport de Roissy. Il vient de récupérer sa valise et s'apprête à passer à la douane quand il s'aperçoit qu'il a oublié son attaché-case dans l'avion. Il se dirige vers un employé qui lui indique le Bureau de Renseignements situé au fond du hall à gauche.

Mr Reynolds—Pardon, Mademoiselle . . . Euh . . . Bonjour . . .

Employée —Bonjour, Monsieur. Vous désirez?

Mr Reynolds—J'ai oublié mon attaché-case dans l'avion.

Employée —Vous venez d'où, s'il vous plaît?

Mr Reynolds—Je viens de Londres.

Employée —Vous voulez me donner le numéro de votre vol s.v.p?

Mr Reynolds—Bien sûr. AF527. Je viens d'arriver à Paris et c'est au moment où je récupérais ma valise que je me suis aperçu que j'avais laissé mon attaché-case sous mon siège. Je suis vraiment inquiet car il me le faut absolument. Il contient les catalogues de notre dernière collection de meubles dont j'ai absolument besoin pour . . .

Employée —Oui, bon, excusez-moi de vous interrompre mais, pouvez-vous me donner une description de votre attaché-case?

Mr Reynolds—Oui, il est en cuir marron et mes initiales sont inscrites en haut à gauche.

Employée —Il est fermé à clef?

Mr Reynolds—Oui, Mademoiselle, bien sûr.

Employée —Votre nom s'il vous plaît?

Mr Reynolds—Mr Reynolds.

Employée —Merci. Je vais téléphoner au bureau des objets trouvés. Si vous voulez patienter un moment je vous appellerai dès que j'aurai la réponse au sujet de votre attaché-case.

Mr Reynolds—Mais Mademoiselle, pensez-vous qu'on va le retrouver?

Employée —90% des objets oubliés dans nos avions retrouvent leur propriétaire, alors il faut avoir confiance! A tout à l'heure, Monsieur.

Un quart d'heure plus tard

Employée —Monsieur Reynolds, veuillez vous présenter au bureau des objets trouvés. Votre attaché-case vous y attend.

Mr Reynolds—Oh, merci Mademoiselle, quel soulagement! J'y cours. Au revoir!

Vocabulaire

l'arrivée, *arrival*
le départ, *departure*
le retour, *return*
voyager par avion, *to travel by plane*
prendre l'avion, *to take the plane*
manquer son avion, *to miss your plane*
un billet d'avion, *a plane ticket*
retenir une place d'avion, *to book a plane seat*
un aéroport, *an airport*
atterrir, *to land*
l'atterrissage (m), *landing*
décoller, *to take off*
le décollage, *take-off*
enregistrer les bagages, *to check in the luggage*
récupérer les bagages, *to get the luggage back, reclaim*
le siège, *seat*
être inquiet, *to be worried*
l'embarquement (m), *embarkation*
un vol, *a flight*
l'avion à destination de Paris, *the Paris plane, plane to Paris*
l'avion en provenance de Londres, *the plane from London*
un passager, un voyageur, *a passenger*
passer à la douane, *to go through customs*
avoir quelque chose à déclarer, *to have something to declare*
le Bureau de Renseignements, *Information Desk*
se renseigner, *to find out, get information, to enquire*
le Bureau des Objets Trouvés, *Lost Property Office*
la consigne, *left luggage office*
s'apercevoir de quelque chose *to realise, notice something*
s'apprêter à faire quelque chose, *to get ready to do something*
contenir, *to contain*
interrompre, *to interrupt*
patienter, *to wait*
avoir besoin de, *to need*
avoir confiance en, *to have confidence in*
avoir envie de, *to want*
un catalogue, *a catalogue*
une brochure, *a brochure*
un dossier, *a file*
en cuir, *(made of) leather*
en papier, *(made of) paper*
en plastique, *(made of) plastic*
être soulagé, *to be relieved*
le soulagement, *relief*
trouver/retrouver, *to find*
se retrouver quelque part, *to meet somewhere*

Exercises

Exercise 1: **Avez-vous bien compris?**
Essayez de répondre aux questions suivantes:

1 Où se trouve M. Reynolds?

2 A qui parle-t-il?

3 Que lui arrive-t-il?

4 Où avait-il mis son attaché-case?

5 Décrivez cet attaché-case.

6 Qu'est-ce qu'il y a dans l'attaché-case de M. Reynolds?

7 Qu'cst-cc quc l'cmployée propose de faire?

8 Que doit faire M. Reynolds?

9 Retrouve-t-il son attaché-case?

Exercise 2: **Comment diriez-vous en français?**

1 To go through customs.

2 I have just realised that I have forgotten my catalogue.

3 Is your case locked?

4 I have left my passport in the plane.

5 I am extremely worried about him (her).

6 I shall phone you as soon as he arrives.

7 Please go to the Information Desk.

8 I really need that letter.

9 He is relieved to have found his case.

10 Her name is written on her suitcase.

Exercise 3: **Practise – venir de**

Example

I say:	*You say:*
A-t-il récupéré sa valise?	Oui, il vient de récupérer sa valise.

—Est-il passé à la douane?

—A-t-il enregistré ses bagages?

—Avez-vous fait la description de votre sac?

—L'avion a-t-il atterri?

—Avez-vous tous rempli les papiers?

—Les visiteurs sont-ils partis?

—Avez-vous téléphoné au Bureau des Objets Trouvés?

Exercise 4: Practise possessive pronouns

Example

I ask:	*You answer:*
C'est ta valise?	Oui, c'est la mienne.

—C'est son imperméable?

—C'est votre billet?

—Ce sont tes bagages?

—Ce sont ses affaires?

—Ce sont bien nos brochures?

—Ce sont leurs passeports?

Exercise 5: Practise direct and indirect personal pronouns

Example

I ask:	*You answer:*
Vous avez téléphoné à la directrice?	Oui, je lui ai téléphoné.

—Tu as fait les valises?

—Vous avez envoyé la lettre?

—Tu as demandé aux clients s'ils peuvent venir?

—Tu regardes souvent la télé?

—Tu verras Pierre ce soir?

Comprehension

Recorded message

Extract the key information from the following message left on your answer phone.

Role Play

You are at the Air France desk at Roissy Airport in Paris. Your luggage has not arrived.

Vocabulary

in the corner,	dans le coin
in the middle,	au milieu
next to,	à côté de
folder,	pochette (f)
technical drawing,	dessin industriel (m)
tape-recorder,	magnétophone (m)

You *(Say your luggage hasn't arrived.)*

Employée—Je suis désolée. Pouvez-vous me donner le numéro de votre vol SVP?

You *It was flight AF 494 from London Heathrow.*

Employée—Qu'est-ce que vous aviez comme bagages?

You *(Say you had a suitcase and a bag.)*

Employée—Pourriez-vous me décrire vos bagages?

You *(Say it is a medium-sized suitcase in black fabric with "Paris" written on it. The bag is a brown leather bag, average size, with 2 large pockets on each side.)*

Employée—Pouvez-vous me montrer sur cette photo s'il y a une valise et un sac qui ressemblent aux vôtres?

You *(Say yes, the one in the right hand corner is very similar to your suitcase and the bag in the middle next to the blue bag is the same as yours.)*

Employée—Pouvez-vous me nommer deux articles qui sont dans votre valise?

You *(Say there are catalogues, technical drawings in a plastic folder and a light grey suit.)*

Employée—Et dans votre sac?

You *(A pair of black leather shoes and a small tape-recorder.)*

Employée—Est-ce que vos bagages portaient une étiquette avec votre nom et votre adresse?

You *(Say yes but not with your personal address, with the address of the hotel where you are staying.)*

Employée—Pourriez-vous me donner les coordonnées de votre hôtel, SVP?

You *(Hôtel Voltaire, 14 bd des Italiens. Tél: 48 74 86 21. Say you must have your luggage by tomorrow morning. You have two important* *appointments in the morning and you need the documents which are in your suitcase.)*

Employée—Je comprends mais ne vous inquiétez pas, je suis sûre que vos bagages seront là ce soir.

Interpreting

Act as interpreter between a passenger and a man at the Left Luggage Office.

Tasks

Task 1

Just before leaving for Paris Mr Reynolds phones Madame Gaspard's secretary to confirm his appointment and ask the easiest and quickest way to get from Roissy Airport to the Fimotel Paris Drouot; (one student acts the part of Mr Reynolds).

Madame Gaspard's secretary explains to Mr Reynolds how to get to his hotel: RER and metro to station Richelieu Drouot (another student plays the part of Madame Gaspard's secretary.)

Task 2

Send a telex to Monsieur Durafour to confirm your arrival at Roissy Airport at 14.30, flight AF 434. No need to come and pick you up. You will take a taxi to your hotel. You expect to be in your hotel by 4 p.m. You would like him to give you a ring at your hotel tel: 47 58 49 56. You look forward to seeing him.

UNIT 3

Arrivée à l'hôtel Fimotel Paris 9ème

Mr Reynolds —Bonjour Madame.

Réceptionniste—Bonjour Monsieur, vous désirez?

Mr Reynolds —J'ai une chambre réservée au nom de Monsieur Reynolds.

Réceptionniste—Monsieur Reynolds? Ce nom ne me dit rien. Vous voulez l'épeler, s'il vous plaît?

Mr Reynolds —Bien sûr, R-e-y-n-o-l-d-s.

Réceptionniste—Je cherche . . . non, je ne vois rien à ce nom. Etes-vous sûr d'être dans le bon hôtel?

Mr Reynolds —Ah, oui, j'en suis sûr et certain, ma secrétaire a même confirmé la réservation par télex.

Réceptionniste—Désolée, Monsieur, votre nom ne figure pas dans mon registre.

Mr Reynolds —Je ne comprends vraiment pas ce qui a pu se passer. Avez-vous des chambres libres, Madame?

Réceptionniste—Non, Monsieur, pas une seule. L'hôtel est complet.

Mr Reynolds —Ah, mais j'y pense, peut-être que la réservation a été faite au nom de la société William Bartlett.

Réceptionniste—William Bartlett? Ah oui, voilà, une chambre avec salle de bain pour 2 nuits, du 6 au 7 juin compris.

Mr Reynolds —Ouf! J'ai eu peur . . . je n'aurais vraiment pas su où chercher une chambre à Paris à cette heure!

Réceptionniste—Chambre no. 25 au 2ème étage. Voici la clef.

Mr Reynolds —Merci Madame. A partir de quelle heure peut-on prendre le petit déjeuner, s'il vous plaît?

Réceptionniste—A partir de 7 heures du matin. Voulez-vous qu'on vous réveille. Monsieur?

Mr Reynolds —Oui, s'il vous plaît, à 6 h 45.

Réceptionniste—Bien. Désirez-vous prendre votre petit déjeuner dans votre chambre?

Mr Reynolds —Oui, s'il vous plaît. Je voudrais du café et des croissants.

Réceptionniste—Bien Monsieur, c'est noté. Bonsoir.

Mr Reynolds —Bonsoir.

Vocabulaire

réserver une chambre, *to reserve, book a room*
réserver une place, *to reserve, book a seat, place*
réserver une salle de conférence, *to reserve, book a conference room*

retenir une place, un stand, un siège, *to reserve a place, a stand, a seat*
réserver au nom de . . ., *to book in the name of . . .*
faire une réservation, *to make a reservation*
confirmer par écrit, *to confirm in writing*
une chambre à 1 personne, *a single room*
avec/sans salle de bain, *with/without bathroom*
une chambre à 2 personnes, *a double room*
avec douche, *with shower*
le petit déjeuner (complet), *(full) breakfast*
le déjeuner, *lunch*
le dîner, *dinner*
en demi-pension, *half-board*
en pension complète, *full board*
scrvicc ct T.V.A. compris, *service and V.A.T. included*
tout compris, *all (charges) included*
remettre à qn, *to give/hand over to s.o.*
régler une facture, *to pay a bill*
régler par chèque, *to pay by cheque*
régler avec une carte de crédit, *to pay by credit card*
payer en liquide, *to pay cash*
au ler étage, *on the first floor*
au rez de chaussée, *on the ground floor*
au sous-sol, *in the basement*
un ascenseur, *a lift*
un parking gratuit/payant, *a free/fee-paying car park*
se faire réveiller, *to be woken up*
réveiller, *to wake up*
un réveil, *an alarm (call)*
figurer, *to be, appear (on a list etc.)*
un registre, *a register*
se passer, se produire, arriver, *to happen, to occur*
ça me dit quelque chose, *that means something to me, that rings a bell*
ça ne me dit rien, *that means nothing to me*
c'est gentil de votre part, *it is nice of you*
j'en suis sûr, *I'm sure of it*
j'en suis certain, *I'm certain of it*
les feux de signalisation (m pl), *traffic lights*
le bon hôtel, *the correct hotel*
être confronté à, *to be faced with*

Exercises

***Exercise 1:* Avez-vous bien compris?**
Essayez de répondre aux questions suivantes:

1 Où arrive Monsieur Reynolds?

2 Dans quel arrondissement se trouve l'Hôtel Fimotel?

3 A quel problème Monsieur Reynolds est-il confronté?

4 Qui a fait la réservation de Monsieur Reynolds?

5 Monsieur Reynolds peut-il dormir à l'Hôtel Fimotel?

6 Comment se résoud le problème de Monsieur Reynolds?

7 Où Monsieur Reynolds va-t-il prendre son petit déjeuner?

8 Qu'est-ce que la réceptionniste lui demande?

9 Monsieur Reynolds veut-il se lever de bonne heure?

10 Qu'est-ce que Monsieur Reynolds commande pour son petit déjeuner?

Exercise 2: Comment diriez-vous en français?

1 I have a room booked for Mr Smith.

2 No room has been booked in that name.

3 My booking was confirmed by telex.

4 Sorry, your name does not appear in the register.

5 Are you sure that you are in the right hotel?

6 Here is the key for room 13 on the third floor.

7 At what time do you start serving breakfast?

8 Would you like to be given a morning call?

Exercise 3: Practise – Vouloir savoir

Example

I say:	*You say:*
Demandez-lui s'il désire un café.	Je voudrais savoir si vous voulez un café.

—Demandez-lui si elle a envie de sortir.

—Demandez-lui s'il veut une chambre avec salle de bain.

—Demandez-lui s'il a besoin d'un taxi.

—Demandez-leur s'ils souhaitent être réveillés.

—Demandez-lui si elle peut rester à déjeuner.

—Demandez-leur s'ils finiront leur étude de marché demain.

Exercise 4: Practise – Je ne sais pas ce qui a pu

Example

I ask:	*You answer*
Savez-vous ce qui s'est passé?	Je ne sais pas ce qui a pu se passer.

—Savez-vous ce qui s'est produit?

—Savez-vous ce qui a causé l'accident?

—Savez-vous ce qui a arrêté la négociation?

—Savez-vous ce qui a retardé le vol?

Exercise 5: Practise – Passive Form

Example

I say:	*You say:*
On a recommandé votre hôtel.	Votre hôtel a été recommandé.

—On a retenu votre chambre.

—On a réglé la facture.

—On a servi le petit déjeuner.

—On a garé sa voiture.

—On a fait son rapport.

—On a réveillé les clients.

—On a pris 2 places de cinéma.

—On a remis 50 invitations.

Role Play

You are checking in at a hotel.

R: Réceptionniste **Y:** You

R—Bonjour Madame/Monsieur.

Y *(Greet her/him. Say who you are and that you have a booking for tonight.)*

R—Un instant SVP . . . oui, une réservation au nom de . . . pour une chambre pour 3 nuits.

Y *(Say it is a mistake. You have booked a room for one night only.)*

R—Je suis désolée Madame/Monsieur, votre nom figure bien sur notre registre. Il n'y a aucune erreur possible. C'est vous qui avez fait la réservation?

Y *(Say no. Your secretary did it by telephone. She can't have made a mistake. She has actually booked you a room for tomorrow night in a hotel in Bordeaux.)*

R—Ecoutez ce n'est pas un problème. J'en prends note. Vous avez la chambre 77 au 3e étage. Voici votre clé.

Y *(Say you have to leave early tomorrow morning. You would like your bill to be ready by 7.45. Ask her if she could book you a taxi for 8 a.m.)*

R—Oui bien sûr. Voulez-vous qu'on vous monte le petit déjeuner?

Y *(Say yes, orange juice and coffee and croissants.)*

R—Bien Monsieur, c'est noté.

Interpreting

An English woman asks you to help her explain her problem to the receptionist. Act as interpreter.

Vocabulary
I was supposed to, *je devais*
to arrange to meet, *se donner rendez-vous*

Tasks

Task 1
Make a note in English of all the facilities offered by Fimotel hotel. The extracts from their brochure continue on page 28.

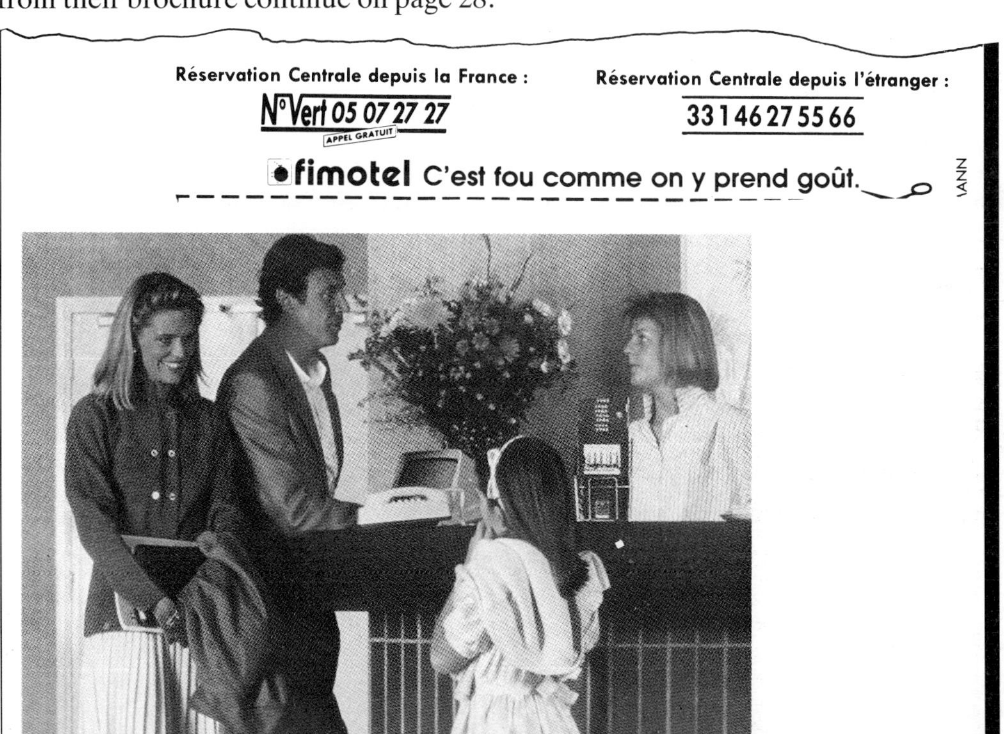

Réservation Centrale depuis la France :
N°Vert 05 07 27 27
APPEL GRATUIT
Réservation Centrale depuis l'étranger :
33 1 46 27 55 66
fimotel C'est fou comme on y prend goût.

HÔTELLERIE :

Laissez votre voiture sur le parking, aux portes de l'hôtel, vous êtes les bienvenus. Vos journaux, vos revues vous attendent dans le hall. Vous voulez un taxi, une voiture de location, un renseignement : la réception vous les procurera, avec le sourire. Vous avez soif de détente : le bar vous accueille (jusqu'à 23 h 00). Dans votre chambre, tout est prévu pour que votre séjour soit confortable (salle de bains complète), agréable (TV, Canal + et satellite dans la plupart des hôtels, radio), pratique (téléphone direct, prise Minitel dans certains hôtels, plan de travail) et gourmand (petit déjeuner dans votre chambre de 7 h 30 à 9 h 30). Votre enfant aussi est le bienvenu : son hébergement dans la chambre de ses parents est gratuit jusqu'à 12 ans et certains hôtels lui proposent toujours gratuitement jeux et attractions.

RESTAURATION :

D'emblée, vous apprécierez l'élégance du cadre, le raffinement de l'ambiance, la qualité de l'accueil et du service.
Puis, vous découvrirez la carte : une grande carte, variée, équilibrée : spécialités du chef, plats régionaux, grillades, assortiment de fromages, la ronde des desserts... et menu enfant (jusqu'à 12 ans).
Et vous serez assuré de faire un excellent déjeuner (de 12 h 00 à 14 h 30) ou un délicieux dîner (de 19 h 00 à 22 h 30).

SÉMINAIRES :

Vous avez à organiser un séminaire ? Nous le ferons pour vous, sur mesure.
Sur mesure la salle de réunion modulaire pouvant accueillir de 10 à 200 personnes, suivant les hôtels...
Sur mesure, le matériel d'animation et d'information... (téléviseur, paper board, minitel, vidéo, rétro-projecteur).
Sur mesure, les pauses, les repas, l'hébergement...
Sur mesure, le tarif de toutes nos prestations.

Task 2

1 You have a free evening tonight and would like to go to the theatre. Phone the Théâtre de la Madeleine and inquire about:
—time of performance
—availability and price of seats
Be prepared to give your name, your credit card number and its expiry date.

2 Today you are inviting two very important clients to a show *(revue ou dîner-spectacle)*. Phone and book a table for 3 giving all the necessary information.

Task 3

Send a fax to the Hôtel des Poètes confirming your reservation for 2 single rooms with bathroom from Friday July 4th to Monday July 7th, inclusive. State the agreed price, i.e. 450FF per room and that you will arrive at about 4 p.m. on the Friday.

Task 4

Translate the following telex.

```
TLX. 12593

ATTN. RESERVATIONS

I CONFIRM RESERVATIONS FOR 2 SINGLE ROOMS WITH BATH
FOR 4 NIGHTS 13 TO 16 NOVEMBER INCLUSIVE FOR MR R. H.
SMITH AND MR. M. DYLAN, BREAKFAST ALSO INCLUDED.

THEY ARE FROM THE COMPANY MULTIWRAP LTD. AND WILL BE
ATTENDING THE SALON DE L'EMBALLAGE. THEY WILL BE
ARRIVING ON TUESDAY 13 NOVEMBER IN THE EVENING AND
LEAVING ON THE MORNING OF SATURDAY 17 NOVEMBER.

I ALSO CONFIRM THAT THE PRICE IS FF450.00 PER NIGHT
PER SINGLE ROOM.

PLEASE ALSO RESERVE A CAR PARK SPACE FOR THIS PERIOD.

MANY THANKS.

MISS. N. BURNS
MULTIWRAP LTD.
```

UNIT 4 Arrivée dans l'entreprise

Mr Reynolds —Bonjour Mademoiselle.

Réceptionniste—Bonjour Monsieur. Qu'est-ce que je peux faire pour vous?

Mr Reynolds —Je suis Mr Reynolds de la société William Bartlett de Grande-Bretagne. J'ai rendez-vous avec Madame Gaspart à 11 h.

Réceptionniste—Excusez-moi, pourriez-vous me rappeler votre nom? Je n'ai jamais fait d'anglais et j'ai beaucoup de mal avec les noms étrangers.

Mr Reynolds —Reynolds – R-e-y-n-o-l-d-s de la société William Bartlett . . . W-i – oh, attendez – c'est plus simple si je vous donne ma carte. Tenez.

Réceptionniste—Merci beaucoup . . . Je suppose que maintenant c'est la prononciation qui va me poser des problèmes. Il faut absolument que je prenne des cours du soir . . .

(Réceptionniste téléphone à la secrétaire de Mme Gaspart)

Réceptionniste—Allô—Isabelle? Pourrais-tu prévenir Mme Gaspart que Mr Reynolds est arrivé. Ah! bon! . . . Ça ne fait rien. Je m'en occupe . . . d'accord.

Réc. (cont.) —Mme Gaspart est encore occupée mais sa secrétaire m'assure qu'elle n'en a pas pour longtemps.

Mr Reynolds —Ne vous inquiétez pas. Je ne suis pas pressé. Mon avion est à 16 heures cet après-midi et je n'ai pas d'autres rendez-vous.

Réceptionniste—Si vous voulez vous asseoir. En attendant, est-ce que vous aimeriez prendre une tasse de café? . . . à moins que vous ne préfériez du thé . . .

Mr Reynolds —Je sais que les Anglais ont la réputation de boire du thé à longueur de journée mais il se trouve que je préfère le café.

Réceptionniste—Parfait – Je vous fais une tasse de café alors?

Mr Reynolds —Bien volontiers. J'en ai grand besoin. Je me suis couché tard hier soir.

Réceptionniste—J'en ai pour une minute . . . *(Revient)* Ah! j'ai oublié le lait. Je crois savoir que les Anglais mettent toujours du lait dans leur café.

Mr Reynolds —Non merci. Une tasse de café noir non sucré, c'est parfait. Je vous remercie, vous êtes bien aimable.
Hum! quel arôme! c'est meilleur que le café instantané.

Réceptionniste—Pourquoi? On ne fait pas de café frais en Grande-Bretagne?

Mr Reynolds —Ah si! mais dans les bureaux on choisit la solution de facilité.

Réceptionniste—Vous parlez très bien le français, M. Reynolds . . . Est-ce que vous venez souvent en France?

Mr Reynolds —En moyenne 3 ou 4 fois par an. Je viens tous les ans au Salon des Arts Ménagers et au Salon du Meuble.

Réceptionniste—Et . . . est-ce que vous avez déjà exposé?

Mr Reynolds —Non, pas encore, mais c'est quelque chose que nous comptons faire l'année prochaine si les affaires marchent bien.

Réceptionniste—Je crois entendre Mme Gaspart. Oui, c'est elle.

Vocabulaire

faire des études, *to study*
faire de l'anglais, *to study English*
étudier une offre, *to study an offer*
étudier un prix, *to study a price*
prendre des cours, *to take/have lessons*
assister à, *to attend/be present at*
prévenir quelqu'un, *to inform/warn someone*
ça ne fait rien, *that doesn't matter*
ça n'a pas d'importance, *that's not important*
s'occuper de quelque chose, *to take care of/handle/deal with something*
s'occuper de quelqu'un, *to look after someone*
être pressé, *to be in a hurry*
être en retard, *to be late*
être en avance, *to be early*
J'en ai pour une heure, *It will take me an hour*
En avez-vous pour longtemps? *Will it take you long?*
Je n'en ai pas pour longtemps? *I won't be long*
à longueur de journée, *all day long*
du matin au soir, *from morning till night*
toute la journée, *the whole day, all day*
prendre un verre, *to have a drink*
oublier, *to forget*
se rappeler quelque chose, *to remember*
se souvenir de quelque chose, *to remember*
je crois savoir que . . ., *I believe that . . .*
souvent, rarement, *often, rarely*
quelquefois, *sometimes*
une fois par an, *once a year*

tous les ans, *every year*
l'année prochaine, *next year*
l'année dernière, *last year*
un salon – le Salon de l'Auto, *a show – the Motor Show*
une foire/exposition, *a trade fair/exhibition*
exposer, *to exhibit*
un exposant, *an exhibitor*
une gamme de produits, *a range of products*
promouvoir – la promotion, *to promote – a promotion*
participer à un salon, *to exhibit at a show*
s'inscrire à un salon, *to enrol at a show*
salon réservé aux professionnels, *show reserved for the trade*
un stand, tenir un stand, *a stand, to have a stand*
les affaires vont bien/mal, *business is good/bad*

Exercises

Exercise 1: **Avez-vous bien compris?**
Essayez de répondre aux questions suivantes:

1 A qui parle M. Reynolds?

2 Pourquoi M. Reynolds ne finit-il pas d'épeler son nom?

3 M. Reynolds peut-il voir Mme Gaspart immédiatement?

4 Qu'est-ce que la réceptionniste lui offre?

5 Pourquoi M. Reynolds parle-t-il bien le français?

6 Pour quelle raison vient-il à Paris tous les ans?

7 Y a-t-il déjà exposé?

Exercise 2: **Comment diriez-vous en français?:**

1 I have an appointment with Mrs Nicolas.

2 He must go to an evening class.

3 I happen to prefer tea.

4 I won't be long.

5 Please tell Mr Jones that Madame Mitterrand is here.

6 He smokes all day long.

7 I come to Paris two or three times a year, on average.

8 We intend to have a stand at the Ideal Home Exhibition.

Exercise 3: Practise – Devoir

Example

I say:	*You say:*
Il faut que je prenne l'avion.	Je dois prendre l'avion.

—Il faut que tu sois à l'heure.

—Il faut que vous fassiez une copie.

—Il faut que nous envoyions la facture.

—Il faut qu'il prévienne le directeur.

—Il faut qu'il se rende à l'aéroport.

—Il ne faut pas qu'elle revienne trop tard.

Exercise 4: Practise – Perfect tense of reflexive verbs

Example

I say	*You say:*
Je me réveille à 7 heures.	Hier je me suis réveillé à 7 heures.

—Elles se lèvent à 8 heures moins le quart.

—Nous nous dépêchons pour prendre le train.

—Vous vous dirigez vers la Seine.

—Ils se donnent rendez-vous au café.

—Il ne se perd pas.

Comprehension

You are going to hear an interview with the organiser of the Equip'hotel Show in Paris. Make a note of the information given.

Vocabulary

intendant(e), *bursar*
manifestation (f), *event*
chiffre d'affaires (m), *turn over*
matériel de cuisson (m), *cooking equipment*
enjeu (m), *stake, challenge*

Role Play

Arriving at the company

Vocabulary

To find it hard to do something, avoir du mal à + infinitif
To express oneself, s'exprimer

R: Réceptionniste **Y:** You

R—Bonjour Monsieur/Madame.

Y *(Introduce yourself. You work for an Insurance Company. You have an appointment with Mr Frigout at 9.30.)*

R—Un instant. Je vais prévenir Monsieur Frigout de votre arrivée . . . Il est en réunion. Il en a pour une dizaine de minutes. Il vous prie de bien vouloir l'excuser.

Y *(Say it doesn't matter. You are actually a little bit early, it is only 9.25.)*

R—Si vous voulez bien vous asseoir. En attendant, voulez-vous prendre quelque chose? Une tasse de café, ou préférez-vous une boisson fraîche?

Y *(Say you'd like something cold. You are very thirsty because you walked all the way up the Champs-Elysées. It was very enjoyable but a lot longer than you thought.)*

R—Qu'est-ce que voulez boire? Une bière, un jus de fruit?

Y *(Say a fruit juice. Ask if she minds if you smoke.)*

R—Non, bien sûr. Attendez, je vais vous chercher un cendrier.

Y *(Say you hope she can understand your bad French. You have not practised for quite a while and you find it hard to express yourself.)*

R—Votre français est excellent. Vous avez fait des études de langues?

Y *(Say you studied French at school for 7 years and for 4 years at a College of Higher Education. You also spent the 3rd year of your degree in France, 6 months in a Business School and 6 months on placement in a firm.)*

R—Je comprends maintenant pourquoi vous parlez si bien.

Interpreting

You work for a British carpet manufacturer. You are acting as interpreter between a French visitor at your stand in Paris and one of your sales managers.

Vocabulary

carpet,	moquette (f)
wide range,	gamme étendue (f)
plain,	uni
patterned,	imprimée
available,	disponible
width,	largeur (f)
sample,	échantillon (m)
hard-wearing,	résistant, solide
requirements,	exigences (fpl)

Tasks

Task 1

Your company, VEC (VEC REFRIGERATION PLC), Lyme Regis, Dorset DO23 9NQ, Tel. (0744) 21968, intends to take part in the 199. Salon des Arts Ménagers in Paris.

Write to the Commissariat Général du Salon International Professionnel des Arts Ménagers, 22 Avenue Franklin-Roosevelt, to ask for information, enrolment form and prices of stands.

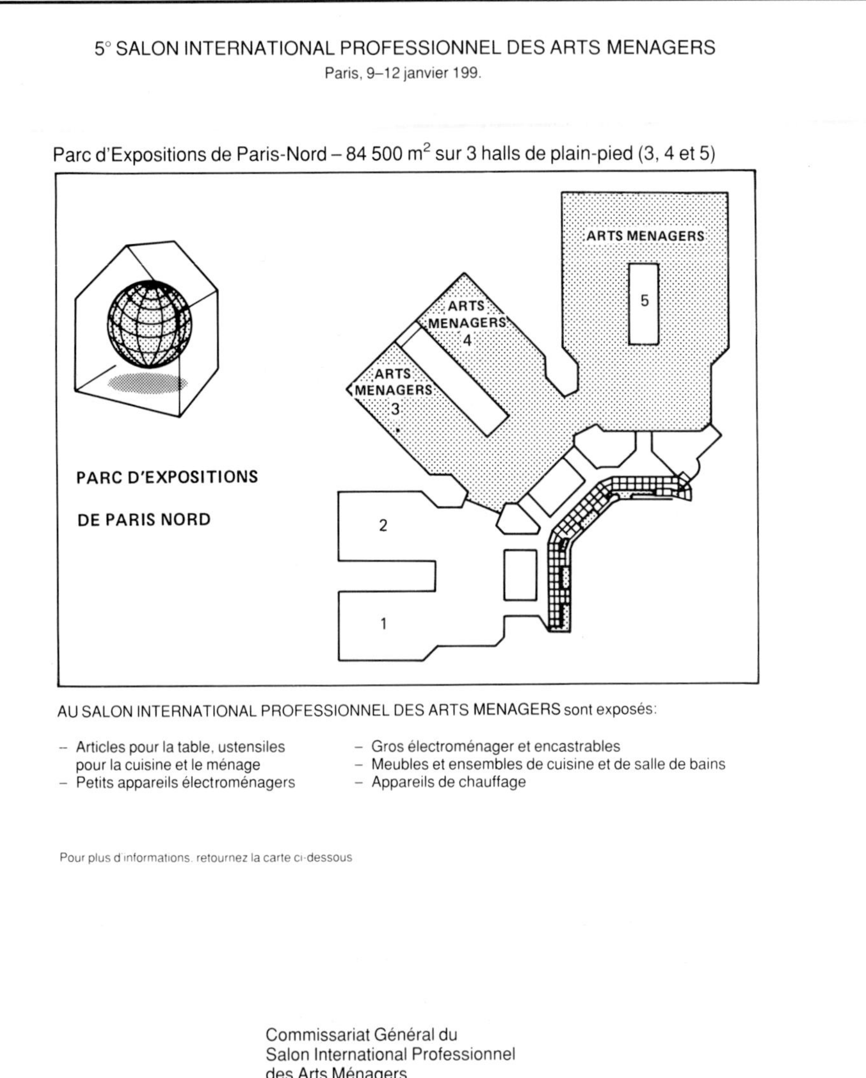

5° SALON INTERNATIONAL PROFESSIONNEL DES ARTS MENAGERS

Paris, 9–12 janvier 199.

Parc d'Expositions de Paris-Nord – 84 500 m² sur 3 halls de plain-pied (3, 4 et 5)

AU SALON INTERNATIONAL PROFESSIONNEL DES ARTS MENAGERS sont exposés:

- Articles pour la table, ustensiles pour la cuisine et le ménage
- Petits appareils électroménagers
- Gros électroménager et encastrables
- Meubles et ensembles de cuisine et de salle de bains
- Appareils de chauffage

Pour plus d'informations, retournez la carte ci-dessous

Commissariat Général du
Salon International Professionnel
des Arts Ménagers

22 avenue Franklin-Roosevelt
75 008 PARIS

Task 2

Write a memo in English to your M.D. explaining the various packages available to exhibitors.

Fill in the enrolment form. Use your own name and make up a role for yourself within VEC. Ask for the all-inclusive package.

CONDITIONS DE PARTICIPATION: (hors taxes: la T.V.A. de 18.60% est à ajouter)

I – FORMULE TRADITIONNELLE

PRIX de mètre carré

Pour les 20 premièrs mètres carrés, le m² .... 643 FF H.T.
Pour chaque mètre carré supplémentaire, jusqú à 60 m² .... 731 FF H.T.
Pour chaque mètre carré supplémentaire, au-delà de 60 m² .... 817 FF H.T.

Droit d'inscription forfaitaire .... 600 FF H.T.

Le stand fourni comprend:
un plancher nu des cloisons un revêtement de cloison
une enseigne (sauf les stands ouverts sur 4 côtés).

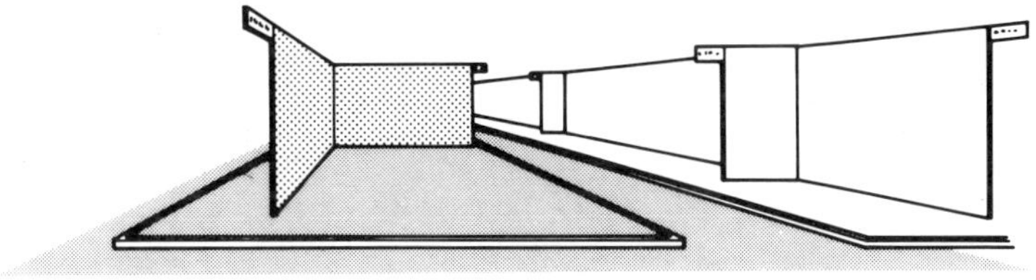

II – FORMULE "tout compris" (forfait)

Ce forfait comprend:

- Un stand complèment équipé (plancher, bandeau, revêtement du sol, cloisons, revêtement des cloisons, enseigne, consommation électrique, prises de courant, spots, étagères, mobilier: bureau, sièges, placard de rangement, porte-manteau).
- Nettoyage journalier au stand.
- Une place de parking sur le lieu d'exposition.
- Six nuits en chambre double dans un hôtel 3 étoiles, petit déjeuner inclus.
- Liaison gratuite en autocar entre le Parc des Expositions et l'Hôtel, le matin et le soir.
- Un responsable à votre disposition.
- Une annonce publicitaire de 1/4 de page noir et blanc dans le catalogue du Salon, frais techniques inclus.

Pour un stand de 9 m². prix "Tout Compris" .... 18 000 FF H.T.
Pour un stand de 20 m². prix "Tout Compris" .... 27 500 FF H.T.

Toute autre formule avec les mêmes prestations peut être étudiée sur demande.

Prière de remplir complèment votre demande d'information, c'est ABSOLUMENT NÉCESSAIRE

M ____________________ FONCTION ____________________

FIRME ____

ADRESSE ____

CODE POSTAL |_|_|_|_|_|_| VILLE ____________________ PAYS ____________________

TÉLÉPHONE ____________________ DATE ____________________

ACTIVITÉ: ☐ fabricant ☐ importateur ☐ grossiste ☐ distributeur-détaillant ☐ acheteur de centrale ou de groupement

Est intéressé par le SALON INTERNATIONAL PROFESSIONNEL DES ARTS MÉNAGERS 199–

☐ COMME EXPOSANT ☐ COMME VISITEUR

UNIT *5* Rencontre avec Mme Gaspart (1)

Mme Gaspart—Monsieur Reynolds, Bonjour – Enchantée de faire votre connaissance. Excusez-moi de vous avoir fait attendre. J'espère qu'Isabelle s'est bien occupée de vous.

Mr Reynolds —Je vous en prie . . . Comme je disais à Mademoiselle, je ne suis pas du tout pressé car mon avion est à 16 heures cet après-midi et je n'ai pas d'autres rendez-vous.

Mme Gaspart—Si vous voulez bien me suivre . . . Mettez-vous à l'aise. Je vous débarrasse de votre manteau, peut-être. Il fait tellement chaud ici. Asseyez-vous, je vous prie.

Mr Reynolds —Je vous remercie . . . En effet il fait plus chaud ici qu'en Angleterre en ce moment.

Mme Gaspart—Vous êtes en France depuis longtemps?

Mr Reynolds —Depuis lundi matin, mais je ne suis pas resté dans la région parisienne. En fait, hier j'étais à Lyon et j'ai eu la chance de voyager en T.G.V. pour la première fois.

Mme Gaspart—Et qu'est-ce que vous en pensez? Ça vous a plu?

Mr Reynolds —J'avoue que j'ai été impressionné, c'est tellement plus reposant que la voiture et tout aussi rapide que l'avion . . . Mais je ne suis pas venu vous voir pour vous vendre les services de la S.N.C.F.! Je crois qu'il vaudrait mieux que je vous dise qui je suis et qui je représente.
Je suis donc Alan Reynolds, chef des ventes de la maison William Bartlett . . . *(tend sa carte)*. Excusez-moi, j'aurais dû vous donner ma carte plus tôt. Tenez.

Mme Gaspart—Si je comprends bien, d'après ce que m'a dit ma secrétaire, vous vous spécialisez dans la fabrication de meubles de style, n'est-ce pas?

Mr Reynolds —C'est ça. Notre maison a été fondée à la fin du 19e siècle et nous sommes solidement implantés sur le marché britannique d'autant plus que nous sommes situés à High Wycombe, ville très connue pour la fabrication des meubles.

Mme Gaspart—Je vois . . . c'est très intéressant . . . mais dites-moi . . Est-ce que vous pourriez me préciser où se trouve "Aouicomme". J'ai honte de mon ignorance mais c'est la première fois que j'entends parler de "Aouicomme". Est-ce que c'est loin de Londres?

Mr Reynolds —Non, pas du tout – High Wycombe est situé au Nord-Ouest de Londres, à mi-chemin entre Oxford et Londres, sur l'autoroute M40. C'est à 30 miles de Londres, ce qui fait . . . disons . . . 60 km et l'aéroport de Heathrow n'est qu'à 35 minutes environ.

Mme Gaspart—Je vois . . . je vois . . . Donc, si je voulais vous rendre visite à "Aouicomme", je pourrais le faire en une journée?

Mr Reynolds —Parfaitement. Nous sommes vraiment très bien placés. Absolument aucun problème en ce qui concerne le transport.

Vocabulaire

enchanté de faire votre connaissance, *very pleased to meet you*
faire attendre quelqu'un, *to keep someone waiting*
excusez-moi de vous avoir fait attendre, *I'm sorry I kept you waiting*
je vous en prie, *please do/don't mention it*
mettez-vous à l'aise, *make yourself comfortable*
asseyez-vous, je vous prie, *please sit down*
la région parisienne, *the Paris area*
la banlieue, *the suburbs*
les environs de Paris, *the area around Paris*
dans les environs, *in the vicinity*
plaire (plu), *to please (pleased)*
plaisant(e), *pleasant*
ça me plaît, *I like it*
ça m'a plu, *I liked it*
le film vous a plu?, *did you like the film?*
ce modèle vous plaît? *do you like this model?*
ce modèle plaît à notre clientèle, *our customers like this model*
il vaut mieux que je reste, *it's better if I stay*
il vaudrait mieux que je vous dise, *it would be better if I told you*
représenter une compagnie, *to represent a firm*
un(e) représentant(e), *a representative*
un agent, *an agent*
un stockiste, *a stockist*
un concessionnaire, *a dealer*
le distributeur, *distributor*
un vendeur, une vendeuse, *a salesman, saleswoman*
l'équipe des ventes, *sales team*
les services (m), *services*
les biens (m), *goods*
le chef des ventes, *Sales Manager*
le chef des achats, *Purchasing Manager*
le chef du personnel, *Personnel Manager*
le chef de production, *Production Manager*
fabriquer, *to manufacture*
le producteur, *producer*
le contrat, *contract*
fonder = créer, *to found, establish, set up*
s'implanter sur un marché, *to establish oneself in a market*
l'implantation d'une firme, *setting up of a company*
pénétrer le marché, *to penetrate the market*

bien connu (e), *well-known*
préciser quelque chose, *to give details*
le transport, *transport*
transporter, *to transport*
le transport, le fret *freight*

Exercises

Exercise 1: **Avez-vous bien compris?**
Essayez de répondre aux questions suivantes:

1 De quoi s'excuse Madame Gaspart?

2 M. Reynolds est-il pressé?

3 M. Reynolds vient-il d'arriver à Paris?

4 Où a-t-il voyagé et par quel moyen de transport?

5 Quels sont les avantages du TGV?

6 Qui est Monsieur Reynolds?

7 Que fabrique la maison William Bartlett?

8 S'agit-il d'une société ancienne?

9 Où se trouve la ville de High Wycombe?

10 Quel est l'avantage primordial de la ville de High Wycombe?

Exercise 2: **Comment diriez-vous en français?**

1 Delighted to meet you.

2 I am in a hurry, I have a plane to catch at 3 p.m.

3 May I have your coat?

4 How long have you been in England?

5 Did you enjoy Concorde?

6 Perhaps I should tell you about myself and the company which I represent.

7 According to what she said to me . . .

8 We are well established in the south of England.

9 Our company was founded twenty years ago.

10 He has never heard of that town.

11 It is half-way between Birmingham and Stratford-on-Avon.

12 As far as transport is concerned.

13 Our situation is excellent.

14 Thanks for giving me an appointment.

15 He showed me round the factory.

Exercise 3: Practise – depuis

Example

I say:	*You say:*
Il y a longtemps que je suis en France.	Je suis en France depuis longtemps.

—Il y a trois jours que je suis ici.

—Il y a un mois qu'il est en France.

—Il y a deux mois que nous cherchons un fournisseur.

—Il y a trois ans qu'ils vendent ces meubles.

Exercise 4: Practise – J'aurais dû – vous auriez dû

Example

I say:	*You say:*
Vous ne m'avez pas donné votre carte. (je)	Oui, j'aurais dû vous donner ma carte.

—Je ne vous ai pas envoyé de télex. (vous)

—Je n'ai pas fait l'inventaire. (vous)

—Vous n'êtes pas arrivé à l'heure. (je)

—Je ne vous ai pas dit le résultat des tests. (vous)

—Elle ne s'est pas occupée de cette affaire. (elle)

—Vous n'avez pas répondu à ma lettre. (je)

Exercise 5: Practise – On a . . .

Example

I say:	*You say:*
Notre maison a été fondée . . .	On a fondé notre maison.

—Une liste de prix a été faite.

—Un catalogue vous a été transmis.

—La situation leur a été décrite.

—Une chambre lui a été retenue.

—Une lettre nous a été adressée.

Role Play

You are meeting a potential customer for the first time.

Mr X—Bonjour Monsieur/Madame. Je suis très heureux de faire votre connaissance.

You *(Say you are delighted to meet him.)*

Mr X—Je m'excuse de vous avoir fait attendre.

You *(Say don't mention it. His secretary looked after you very well.)*

Mr X—Je crois savoir que vous venez de Birmingham. Etes-vous arrivé aujourd-hui?

You *(Say yes. You arrived today at 12.30 when you were supposed to arrive at 11.30.)*

Mr X—Une heure de retard. Que s'est-il passé?

You *(Say you are not quite sure. You boarded on time but you had to wait for nearly an hour. Because of this you had to cancel your first appointment.)*

Mr X—Il ne faut donc pas que je vous retarde. Vous représentez donc la compagnie BREAKEASY de Grande-Bretagne.

You *(Say that's right. Your company was founded in 1947 by Mr Potter. It became a limited company in 1964.)*

Mr X—Et vous fabriquez de la vaisselle particulièrement destinée à la restauration.

You *(Say that's right. You specialise in that sort of product but you also offer other products.)*

Mr X—Et où est située votre compagnie?

You *(Say Stoke-on-Trent. It is a town well known for its pottery.)*

Mr X—Et c'est loin de Manchester?

You *(Say it is about 50 kms from Manchester and very near the M6. There is a very good network of communications. Ask if he knows the area.)*

Mr X—Non, pas du tout. Je ne connais que Londres. J'y suis allé en voyage d'affaires deux ou trois fois.

Tasks

Task 1

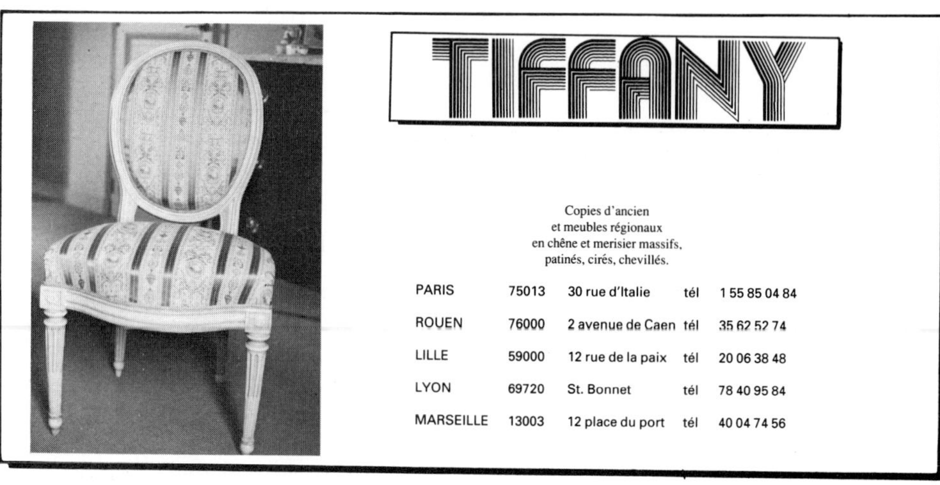

1 Phone one of the numbers above and ask if they could send you a catalogue and a price list.

2 Phone company X in France to ask if the meeting scheduled for 10 a.m. on Thursday 11th May could be postponed to the following week, same place, same time.

3 Phone Madame X in France to ask if she will be able to attend a meeting at the head office of your company on Monday August 8th.

4 Phone Monsieur X in Toulouse to ask for his flight details and to confirm that you will be able to meet him at the airport.

5 Phone Madame X in Nancy on behalf of your M.D. to let her know that the meeting arranged at the Hilton Hotel in London on Tuesday 17th August had to be cancelled.
Convey your M.D.'s apologies and say that he will contact her very shortly to discuss a new date.

Task 2
Translate into English/French the following business opportunities.

Opportunités d'affaires

Grossiste britannique spécialisé dans le marché des produits en céramique et en porcelaine recherche des sociétés françaises désireuses d'importer des articles bon marché mais de qualité moindre provenant des fabriques les plus connues de Grande-Bretagne. La société propose aussi de représenter des fabricants français au Royaume-Uni.

Many of our customers and a few of our partners are desperately looking for the following products to import:

- mini TV sets, extra flat, battery powered, B/W and/or colour. Approximate size of pack of cigars,
- New and original gadgets suitable for mail order,
- Approved health and fitness products
- Fancy and/or genuine jewellery 18ct gold,
- Small electronic items, brand new on the market and suitable for mail order sales,
- Any other brand new consumer products worthy of import in large quantities.

A la suite d'un changement de stratégie de la maison mère, un représentant d'une société française ayant une bonne expérience de la Grande-Bretagne, dispose de 200 m2 de bureaux tout équipés dans la région de Newbury (silicon Valley anglaise). Il recherche une entreprise française désireuse de s'installer au Royaume-Uni en profitant de l'infrastructure disponible, et éventuellement prête à faire appel à ses services.

French manufacturer of ready-to-wear womenswear (30–40 years old) seeks an agent to distribute his range of top quality jersey clothing on the British market. The range includes coats, suits, jackets, dresses, skirts, co-ordinates and trousers.

UNIT 6

Rencontre avec Mme Gaspart (2)

Mme Gaspart—Je vois que vous avez apporté des brochures. Est-ce que je pourrais jeter un coup d'oeil?

Mr Reynolds —Je vous en prie . . . et . . . excusez-moi, j'aurais dû commencer par ça.

Mme Gaspart—Hum . . . j'ai des tas de questions à vous poser sur le produit mais auparavant j'aimerais que vous me parliez de votre compagnie.

Mr Reynolds —Bien volontiers . . . Eh bien – nous sommes ce que vous appelez ici en France une P.M.E. de type familial. Notre main-d'oeuvre varie entre 180 et 200 personnes. Pour le moment nous travaillons à plein rendement et nous n'avons aucun mal à recruter des ouvriers qualifiés. Nous avons plus ou moins atteint notre cible en ce qui concerne le marché britannique et c'est pour cette raison que nous voulons étendre nos activités vers l'étranger. Nous avons récemment racheté une petite fabrique de meubles en vue d'augmenter notre capacité de production et de commencer à exporter.

Mme Gaspart—Et qu'est-ce qui vous fait croire que vous avez des chances de réussir sur le marché français?

Mr Reynolds —Nous avons fait faire une étude de marché qui démontre qu'il existe une demande assez importante pour ce genre de produit.

Mme Gaspart—Je ne suis pas particulièrement surprise car depuis quelques années il existe un véritable engouement pour les produits britanniques. . . . Dites-moi, avez-vous l'intention d'exporter seulement en France, ou envisagez-vous la même démarche dans tous les pays de la communauté?

Mr Reynolds —Non. Nous allons commencer par la France, pour plusieurs raisons. Tout d'abord, nous avons plusieurs personnes qui parlent le français et qui connaissent bien la France. D'autre part nous traitons déjà avec la France pour nos fournitures de tissus et résines et enfin le transport Londres-Paris est facile et relativement bon marché . . . Je dis Londres-Paris car nous envisageons de trouver un distributeur ou agent dans la région parisienne.

Mme Gaspart—Quand vous parlez d'agent ou de distributeur, voulez-vous dire par là que vous êtes disposé à accorder l'exclusivité de votre marque?

Mr Reynolds —A la rigueur. Tout dépend de l'importance du marché qu'un distributeur serait à même de nous garantir.

Mme Gaspart—Si, à l'issue de nos négociations, nous décidons de traiter avec vous, nous exigerons l'exclusivité de la marque. Nous avons

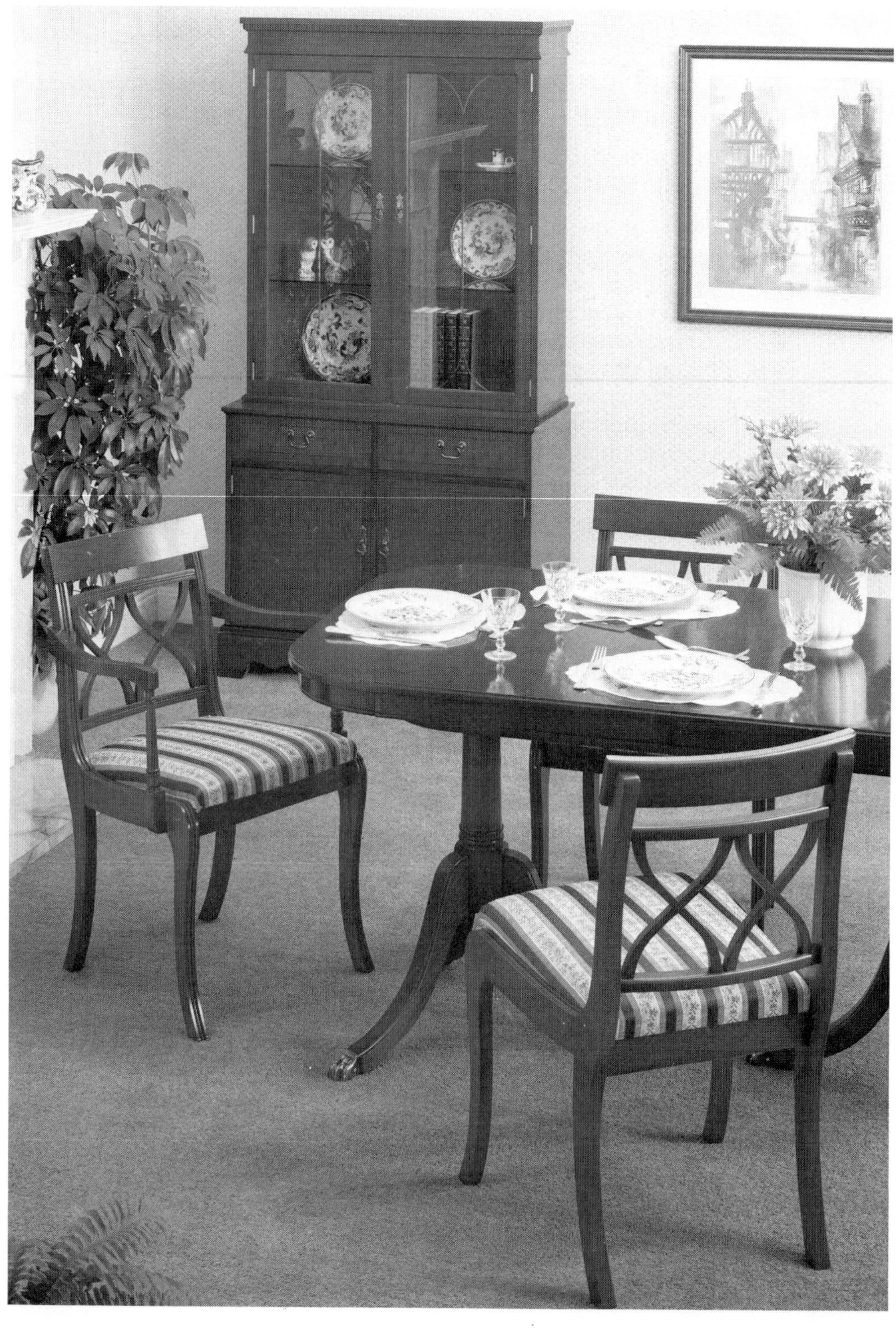

l'exclusivité de toutes les marques que nous vendons. C'est la politique de notre compagnie et c'est une politique qui marche.

Mr Reynolds —D'après les informations que j'ai recueillies sur votre maison, vous vous spécialisez dans la vente de meubles Louis XV, Louis XVI, Empire etc.

Mme Gaspart—C'est exact mais nous avons l'intention d'étendre notre gamme pour répondre justement aux goûts nouveaux de notre clientèle. Seulement, nous voulons nous limiter à un certain style de meubles. Nous recherchons un produit haut de gamme, de très bonne qualité dans les styles 18e et Régence.

Mr Reynolds —Nos produits répondent exactement à vos exigences. Comme vous pouvez le constater tous nos meubles sont de style 18e et Régence.

Mme Gaspart—Et où vous fournissez-vous en bois?

Mr Reynolds —Nous importons nos matières premières d'Asie du Sud-Est et d'Afrique de l'Ouest. Tout le procédé de transformation, de l'achat des troncs d'arbre au meuble fini se fait chez nous.

Mme Gaspart—C'est un point très important, car, voyez-vous, une grande partie de nos réclamations portent sur le séchage du bois. Les gens se plaignent que leurs meubles travaillent beaucoup. Il est temps que les fabricants tiennent compte du chauffage central!

Mr Reynolds —Nous apportons un soin tout particulier au séchage et je peux vous garantir que vous n'aurez pas d'ennuis dans ce domaine.

Vocabulaire

avoir des tas de choses à faire, *to have loads of things to do*
une P.M.E.: (une petite-moyenne entreprise), *a small middle-sized company*
la main-d'oeuvre, *labour-force, manpower*
le personnel, *staff*
les effectifs (m), *the number of employees on the payroll*
avoir du mal à faire quelque chose, *to have difficulty in doing something*
les ouvriers qualifiés, *skilled workers*

les ouvriers non qualifiés, *unskilled workers*
le contremaître, *foreman*
les cadres, *managerial staff*
la direction, *top management (decision makers)*
travailler à plein rendement, *to work at full capacity*
recruter du personnel, *to recruit staff*
atteindre une cible, *to reach a target*
étendre, élargir ses activités, *to expand, broaden one's activities*
racheter une firme, *to take over a company*
la capacité de production, *production capacity*
une étude de marché, *a market survey*
effectuer une étude de marché, *to carry out a market survey*
faire appel à, *to use the services of*
démontrer, révéler, prouver, *to show, reveal, prove*
la demande/l'offre, *demand/supply*
un engouement, *craze, fashion*
une démarche, *a course of action, an approach*
traiter avec, *to deal with, do business with*
les fournitures (f), *supplies*
un tissu, une étoffe, *a fabric, a material*
bon marché, *cheap, inexpensive*
cher, onéreux, *dear, costly*
envisager de/avoir l'intention de faire quelque chose, *to intend to do something*
une marque, *a brand (name)*
l'importance (f) du marché, *the size of the market*
être à même de/être en mesure de faire quelque chose, *to be in a position to do something*
à la rigueur, *if need be, if we have to*
une gamme de produits, *a product range*
étendre une gamme de produits, *to extend a product range*
à l'issue de, *at the end of*
un produit haut de gamme, *a top of the range product*
un produit bas de gamme, *a bottom of the range product*
de bonne qualité/de mauvaise qualité, *good quality/bad quality*
répondre aux goûts (m), aux besoins (m), aux exigences (f) de, *to satisfy, meet the needs (of) demands (of)*
la politique, *policy*
comme vous pouvez le constater, *as you can see . . .*
les matières premières, *raw materials*
le séchage, *drying, seasoning (of wood)*
le procédé de transformation, *processing*
une réclamation, une plainte, *a complaint*
réclamer, faire une réclamation, se plaindre, *to complain*
apporter un soin à, *to take extra care with*
prendre soin de, *to take care of*
avoir des ennuis (m), des problèmes, *to have problems*

Exercises

Exercise 1: **Avez-vous bien compris?**
Essayez de répondre aux questions suivantes:

1 Qu'est-ce que Madame Gaspart demande de faire?

2 William Bartlett, c'est quel type de société?

3 Combien d'employés y a-t-il dans la société?

4 Comment marchent les affaires?

5 Pourquoi les directeurs de la société veulent-ils étendre leurs activités à l'étranger?

6 Qu'est-ce qu'ils viennent de faire?

7 Pour quelles raisons?

8 Qu'est-ce qui leur fait penser qu'ils ont des chances de réussir à exporter en France?

9 Pourquoi ont-ils choisi d'exporter d'abord en France?

10 En ce qui concerne la distribution, qu'est-ce que Madame Gaspart exigera?

11 Dans quoi la Société Meublat se spécialise-t-elle?

12 Pourquoi la Société Meublat songe-t-elle à élargir sa gamme de meubles?

13 Pouvez-vous donner des précisions sur le type de meubles que recherche la Société Meublat?

14 Ces exigences conviennent-elles à Monsieur Reynolds?

15 Dans la description que fait Monsieur Reynolds de la fabrication des meubles William Bartlett, qu'est-ce qui séduit Madame Gaspart?

Exercise 2: **Comment diriez-vous en français?**

1 May I have a look at your brochures?

2 He should have given them to you yesterday.

3 Could you tell me a little more about your company?

4 It is a family firm.

5 It is easy to recruit skilled workers.

6 They work to full capacity.

7 They wish to widen their activities.

8 We have reached our home target.

9 We have carried out a market study.

10 They already deal with Spain.

11 You must be in a position to deliver on time.

12 At the conclusion of our negotiations.

13 If need be.

14 Up-market products (top of the range products).

15 You will have no problem with that.

Exercise 3: **Practise – present subjunctive (use the pronouns given)**

Example

I say:	*You say:*
parler de la compagnie (*vous*)	J'aimerais que vous parliez de la compagnie.

—jeter un coup d'oeil aux brochures (vous)

—recruter deux secrétaires (nous)

—exporter en France (ils)

—augmenter la capacité de production (vous)

—téléphoner à l école de commerce (elle)

—finir l'étude de marché (elle)

—commencer par la France (vous)

—traiter avec la compagnie Boisdur (nous)

—vendre ce produit en Norvège (vous)

—pouvoir m'expédier un catalogue (il)

—prendre nos fournitures au Japon (nous)

—vouloir partir avec moi en Italie (il)

Exercise 4: **Practise – future tense**

Example

I say:	*You say:*
J'ai peur d'avoir des ennuis.	Je peux vous garantir que vous n'aurez pas d'ennuis.

—J'ai peur d'arriver en retard.

—J'ai peur de rater l'avion.

—J'ai peur de faire des erreurs.

—J'ai peur de ne pouvoir terminer à temps.

—J'ai peur de ne pas savoir interpréter les chiffres.

Comprehension

After listening to the interview with the M.D. of the biggest food company in France, write down the following data:

—turnover	1966	1985
—sector of activity	1966	1985
—position		1985
—size		1985
—strategy		1985

Vocabulary

les produits laitiers,	*dairy products*
la concurrence,	*competition*
une unité de production,	*plant*
la marque,	*brand*
la part de marché,	*market share*
le prix de revient,	*cost price*

Role Play

You are representing your company and your products to a potential client.

Mme X—Bonjour, je suis ravie de faire votre connaissance.

You *(Say that you are delighted to meet her at last.)*

Mme X—Je m'excuse de vous avoir fait attendre. J'espère que ma secrétaire s'est bien occupée de vous.

You *(Say yes, you've had a very good lunch and you have enjoyed talking to her secretary. She has told you lots of interesting things about the company.)*

Mme X—Maintenant nous pourrions peut-être aborder la question qui nous intéresse. Pouvez-vous me parler un peu plus en détail de votre société?

You *(Say of course. The company was founded in 1975. It specialises in the production of cosmetics made with natural products only.)*

Mme X—Et où se trouve votre société?

You *(Say that it is based in a small town called Maidenhead, very near London.)*

Mme X—Bénéficiez-vous d'un bon réseau de communications dans cette région?

You *(Say yes, Maidenhead is very near the M4 and a few minutes from the M40. It is only twenty minutes from Heathrow.)*

Mme X—Si l'aéroport est si près de Maidenhead, je suppose qu'il serait possible de visiter votre société à Maidenhead et de rentrer à Paris le soir.

You *(Say of course. That would be no problem at all. You would be delighted to organise such a visit for her.)*

Mme X—Il est sans doute prématuré de faire des projets de voyage. Revenons à votre société et à votre gamme de produits, si vous le voulez bien.

You *(Say that you were about to give her more details on your markets. Say that your firm is very well known in Britain but now that you have reached your target on the home market you would like to expand and start exporting.)*

Mme X—Comment savez-vous qu'il y a une demande pour vos produits sur le marché francais?

You *(Say that the results of the market research you have carried out show that French people want natural products.)*

Mme X—C'est exact, depuis quelque temps les produits naturels sont très à la mode. Nous voulons profiter de cette situation pour augmenter notre part de marché. De plus, les produits britanniques ont une très bonne réputation.

You *(Say that your products sell well on the home market. You now have 52 points of sale and are about to open two new shops.)*

Mme X—Quels produits avez-vous à nous proposer?

You *(Say that you have a catalogue here, but you offer a small range of products especially for exporting.)*

Mme X—Vous permettez que je consulte votre catalogue?

You *(Say please do.)*

Tasks

Task 1

William Bartlett intends to carry out market research interviews in France. Your Managing Director has asked you to translate the questionnaire into French to try and assess the popularity of English reproduction furniture amongst French people.

Task 2

You have been so encouraged by the answers given to you that the company would like to send a written questionnaire to the main French distributors of furniture.

In order to obtain a list of the main distributors, write a letter to the Chamber of Commerce requesting the necessary information.

QUESTIONNAIRE

I am carrying out market research for a manufacturer of English reproduction furniture. Would you be so kind as to answer a few questions? It won't take more than a couple of minutes.

1 Do you have English reproduction furniture in your home?

☐ Yes ☐ No (go to question 6)

2 What sort of English furniture do you have?

☐ dining room
☐ sitting room
☐ study
☐ other

3 Where did you buy it?

☐ Great Britain
☐ Department Store
☐ Furniture store
☐ Mail order
☐ Other

4 What do you like about English furniture?

☐ Design
☐ Quality
☐ Variety
☐ Size
☐ Wood
☐ Other

5 Do you plan to buy more?

☐ Yes ☐ No

6 Have you ever seen English reproduction furniture?

☐ Yes ☐ No (go to question 12)

7 Where did you see it?

☐ Great Britain
☐ Furniture Store
☐ Exhibition
☐ Television
☐ Magazine
☐ Other

8 What is your opinion of it?

☐ Poor (finish interview)
☐ Average
☐ Good
☐ Very good
☐ Excellent

9 Why don't you have any?

☐ Price
☐ Availability
☐ Unsuitability
☐ No need

10 Do you think you'll buy some one day?

☐ Yes ☐ No (finish the interview)

11 What sort of price would you be prepared to pay for a dining room table, for example?

☐ less than 5000 F
☐ between 5000 and 10,000 F
☐ more than 10,000 F

(*Show catalogue*)

12 What is your opinion of the catalogue?

☐ Poor
☐ Average
☐ Good
☐ Very good
☐ Excellent

Consumer Profile

Sex ☐ Male
☐ Female

Are You: ☐ Less than 25?
☐ between 25 and 40?
☐ between 40 and 50?
☐ over 50?

What is your occupation? ....

Do you earn: ☐ less than 8000 F?
☐ between 8000 and 15,000 F?
☐ between 15 000 and 30 000 F?
☐ more than 30 000 F?

Where do you live? ....

Thank you for your time.

UNIT *7* Rencontre avec Mme Gaspart (3)

Mme Gaspart—(*regarde le catalogue*) Votre gamme est très étendue. Est-ce que l'étude de marché a fait ressortir des préférences pour certains meubles car dans un premier temps, je ne pense pas que l'on puisse stocker un nombre aussi important de marchandises? Le stockage est notre casse-tête numéro 1.

Mr Reynolds —Avez-vous des entrepôts en dehors de Paris?

Mme Gaspart—Oui, à Tours et à Lyon et nous espérons pouvoir en ouvrir un troisième à Lille. Nous avons deux problèmes majeurs: la place et le financement des stocks. Et c'est pour ça que j'aimerais savoir si, parmi vos produits, il y en a qui risquent de mieux marcher que d'autres.

Mr Reynolds —Malheureusement, l'étude de marché n'était pas suffisamment détaillée pour faire ressortir ces renseignements.

Mme Gaspart—Je crois que la meilleure façon de procéder – la moins risquée aussi – serait de commencer par les petits meubles. Quand les Français habitaient la campagne ils achetaient de gros meubles; maintenant qu'ils habitent dans des appartements ils préfèrent les petits meubles, faciles à caser et à déménager.

Mr Reynolds —C'est la même chose chez nous. Les nouvelles constructions sont si petites et les plafonds si bas! C'est d'ailleurs pour ça que nous avons adapté les dimensions de nos meubles. Ils sont généralement moins larges et moins hauts que les originaux.

Mme Gaspart—Oui, vos salles à manger sont très belles mais beaucoup trop grandes. Je vais me limiter aux petits modèles, ce qui m'amène à la question cruciale: le prix.

Mr Reynolds —J'ai ici une liste de prix anglais sortie d'usine.

Mme Gaspart—Si je prends le prix de cette table référence C537. Elle fait £205 sortie d'usine, ce qui fait – attendez – deux cent cinq livres multiplié par dix – la livre est à 10F n'est-ce pas?

Mr Reynolds —Non, la livre oscille entre 9F80 et 10F mais les variations sont minimes maintenant que la Grande-Bretagne est entrée dans le système monétaire européen.

Mme Gaspart—Vous dites donc 205×10; ça fait 2 050F. A cela il faut ajouter le transport et l'assurance, soit environ 7%, ce qui nous donne un prix franco domicile de 2 193F. Disons 2 200F pour arrondir. Hum! . . . ça fait cher.

Mr Reynolds —Cher par rapport à quoi?

Mme Gaspart—Cher par rapport à la concurrence. Prenons le cas des meubles espagnols. Cette table par exemple ne reviendrait pas à plus de 1 500F.

Mr Reynolds —Oui, mais vous m'avez parlé d'un engouement pour les produits britanniques. Les nôtres sont authentiques et de qualité supérieure. Il faut comparer ce qui est comparable! Vous m'avez bien précisé que vous recherchez un produit britannique qui serait compatible avec votre gamme française.

Mme Gaspart—Il faut avouer que ces engouements sont difficiles à prévoir et à quantifier. Ecoutez . . . je ne vous cacherai pas que vos produits me plaisent, mais avant d'aller plus loin dans les négociations j'aimerais aller vous rendre visite à High Wycombe.

Mr Reynolds —Excellente idée! Je me ferai un plaisir de vous recevoir et de vous faire visiter notre usine. Quand vous serait-il possible de venir nous voir?

Mme Gaspart—(*feuillette agenda*). Attendez . . . nous sommes le 8 n'est-ce pas? . . . pas la semaine prochaine, je suis au Salon du Meuble, ni la semaine d'après, ce qui nous amène à la dernière semaine de juin. Est-ce que ça vous conviendrait?

Mr Reynolds —(*consulte son agenda*). Parfait! Nous disons donc dernière semaine de juin et vous me communiquerez la date exacte par télex? Est-ce que vous comptez rester plusieurs jours ou est-ce que vous ferez le voyage dans la journée?

Mme Gaspart—Eh bien, si on peut se passer de moi ici, j'en profiterai peut-être pour me familiariser avec l'Angleterre. On verra . . .

Mr Reynolds —Je vous remercie beaucoup d'avoir bien voulu me recevoir et de m'avoir consacré autant de temps.

Mme Gaspart—Je suis très heureuse d'avoir fait votre connaissance et j'espère très sincèrement que nous pourrons travailler ensemble.

Mr Reynolds —(*tend la main*) Au plaisir de vous revoir en Grande-Bretagne. Au revoir.

Mme Gaspart—Au revoir et bon voyage!

Vocabulaire

dans un premier temps, *to begin with*
stocker, *to stock*
le stockage, *stocking*
en stock, *in stock*
en rupture de stock, *out of stock*
stocks épuisés, *out of stock*

C.456 Oval Drop-Leaf Dining Table. Fitted two drawers. Closed 31″ (79cm) x 34″ (86cm), opening to 60″ (152cm) x 34″ (86cm).

C.483 Gate-Leg Dining Table. Closed 36″ (91.5cm) long, 13″ (33cm) wide, opening to 60″ (152.5cm).

C.537 Breakfast Table. 39⅜″ (100cm) diameter, 30″ (76cm) high.

C.570 Dining Table. Closed 72″ (183cm) long, 37″ (94cm) wide, opening to 91¾″ (233cm).

C.587 Dining Table. Closed 78¾″ (200cm) long, 43¼″ (110cm), opening to 108¼″ (275cm).

C.572 Dining Table. Closed 60″ (152cm) long, 35″ (89cm) wide, opening to 74″ (188cm).

C.456 C.570 C.483 C.587 C.537 C.572

un casse-tête, *problem (lit. headache)*
un entrepôt, *warehouse*
les finances (f), *finance*
le financement, *financing*
faire ressortir, *to show, to bring out*
financer, *to finance*
déménager, *to move*
un déménagement, *removal*
prix sortie d'usine, *ex-works price*
prix F.O.B., *F.O.B. price*
prix C.A.F., *C.I.F. price*
prix C.F., *C.F. price*
prix franco domicile, *free delivery*
augmenter un prix, *to increase a price*
baisser un prix, *to lower a price*
réduire un prix, *to reduce a price*
le taux de change, *exchange rate*
le cours du franc, *exchange rate for the franc*
l'assurance (f), *insurance*
contracter une assurance, *to take out insurance*
une police d'assurance, *an insurance policy*
assurer – (s') assurer contre, *to insure against*
une compagnie d'assurance, *an insurance company*
ça fait cher, *that's expensive*
revenir à, *to come to*
la concurrence, *competition*
faire concurrence à, *to compete with*
un concurrent, *a competitor*
rivaliser avec, *to be in competition with*
compétitif, *competitive*
battre la concurrence, *to beat the competition*
l'emporter sur la concurrence, *to get the better of the competition*
je me ferai un plaisir de . . ., *I'll be delighted to . . .*
se familiariser avec, *to get to know*
mettre en avant, *to put forward*
au plaisir de . . ., *looking forward to . . .*
la forme, *shape*
la taille, *size*
la largeur, *width*
la longueur, *length*
l'épaisseur, *thickness*
le diamètre, *diameter*
rond, *round*
oval, *oval*
rectangulaire, *oblong*
la rallonge, *extension*

Exercises

Exercise 1: **Avez-vous bien compris?**
Essayez de répondre aux questions suivantes:

1 Pourquoi Mme Gaspart ne peut-elle pas envisager de vendre toute la gamme de meubles de la société William Bartlett?

2 Pouvez-vous préciser pourquoi?

3 Monsieur Reynolds sait-il quels sont les meubles susceptibles de plaire le plus aux Français?

4 Que suggère Mme Gaspart?

5 Pour quelles raisons?

6 Comment Mme Gaspart calcule-t-elle le prix d'une petite table de la collection de Monsieur Reynolds?

7 Est-elle satisfaite du résultat de son calcul?

8 A quoi compare-t-elle le prix de la table?

9 Quel est l'argument que Monsieur Reynolds met en avant pour essayer de convaincre Mme Gaspart?

10 Que propose Mme Gaspart?

11 Quand Mme Gaspart va-t-elle aller à High Wycombe?

12 Va-t-elle faire l'aller-retour en une journée?

Exercise 2: **Comment diriez-vous en français?**

1 Advertising is our headache!

2 These products are the most likely to be successful.

3 Let's start with a few small items.

4 Here is our price list ex-works.

5 We can round the price up to £150.

6 French perfumes are all the rage.

7 This sideboard would not cost me more than 2 000F.

8 It takes us up to the second week in July.

9 I look forward to seeing you in Birmingham next month.

Exercise 3: Practise – Je ne pense pas que + present subjunctive

Example

I ask:	*You reply:*
Pensez-vous qu'il viendra au Salon du Meuble?	Non, je ne pense pas qu'il vienne au Salon

—Pensez-vous que vous pourrez stocker toute la livraison?

—Pensez-vous que la livre baissera avant la fin de l'année?

—Pensez-vous qu'il paiera les frais de transport?

—Pensez-vous que ce sera la meilleure solution?

—Pensez-vous qu'il aura des difficultés à se faire comprendre?

—Pensez-vous qu'il aura ajouté le transport et l'assurance?

—Pensez-vous que nos produits plairont à la clientèle française?

Exercise 4: Practise – en

Example

I ask:	*You reply:*
Avez-vous parlé de la visite?	Oui, j'en ai parlé.

—Avez-vous profité de la réduction?

—A-t-il bénéficié de l'offre spéciale?

—Ont-ils entendu parler d'une baisse du franc?

—Avez-vous discuté des prix?

Exercise 5: Practise numbers

Close your book. Make a note of the figures as you hear them. Check them afterwards.

C'est la référence 537.
C'est la référence 971.
C'est la référence 408.
C'est la référence 664.
Ça fait 12 000 F.
Ça fait 9 600 F.
Ça fait 15 850 F.
Ça fait 75 800 F.
Ça fait 45 970 F.
Ça fait 1 370 F.
Ça fait 976 F.
Ça fait 348 F.

Exercise 6: **Practise future tense**

Example

I say:	*You say:*
L'étude de marché est détaillée.	L'étude de marché sera détaillée.

—J'ai une liste de prix.

—Il faut ajouter l'assurance.

—Nous venons le 7 août.

—Vous faites le calcul.

—Ils peuvent adapter les dimensions.

—Je vais en Grande-Bretagne l'année prochaine.

—Elle prend l'avion samedi.

—Nous recevons beaucoup de commandes.

Comprehension

You are going to hear an interview with a buyer from the mail order company "Les 3 Suisses". Make notes and write the job description of a buyer.

Interpreting

You act as interpreter in negotiation with a French firm.

Tasks

Task 1
Madame Gaspart sends a fax to Mr Reynolds to let him know that she is planning to go to England on Tuesday 23rd June and return the next day if it is convenient for him. She would also like a hotel room to be booked for Tuesday night in High Wycombe. Write the fax.

Task 2
Phone Madame Gaspart or send a fax/telex to let her know that the dates are OK and ask her the type of room she wants for the 23rd and the kind of hotel – big international type at £60 per night or small family hotel at £25 per night. Would she also confirm time of arrival and flight number so that someone can meet her at the airport.

Task 3
Telex:

ATTENTION: MR REYNOLDS

JE CONFIRME MON ARRIVEE A L'AEROPORT DE HEATHROW A 9H, VOL AF 454.

AU PLAISIR DE VOUS VOIR.
SALUTATIONS
MADAME GASPART
MEUBLAT S.A.

Mr Reynolds phones Madame Gaspart to let her know that he won't be able to meet her at the airport as arranged. The company chauffeur will be waiting for her. He will be carrying a sign with the name William Bartlett on it. Make the phone call.

Oral Summative Assignment

Madame Gaspart meets her Managing Director to sum up the points covered in her meeting with Mr Reynolds:

—who Mr Reynolds is and her impression of him

—the size and nature of the company he works for – its current plans for expansion, the market research it has commissioned, its location

—the range of products made by his company and the manufacturing process involved

—her favourable impression of his company; the reason for this

—her intention to visit England

UNIT 8 Visite de la société William Bartlett

Tout le procédé de transformation se fait chez nous.

Mr Reynolds —Si vous voulez bien, Madame Gaspart, nous allons maintenant faire la visite de l'usine. Si vous désirez poser des questions à notre personnel, je vous servirai d'interprète.

Mme Gaspart—Je vous remercie. Je me fais un plaisir de rencontrer votre personnel.

Mr Reynolds —Comme vous voyez, nous avons deux bâtiments. Celui de droite est destiné à l'administration et celui du fond aux ateliers. Par quoi voulez-vous commencer?

Mme Gaspart—Par les ateliers. Je crois qu'il est plus logique de finir par la salle d'exposition et les bureaux.

Mr Reynolds —Vous avez raison . . .
(Plus tard dans l'atelier) Nous sommes ici dans l'atelier où nous fabriquons les différentes pièces. Comme vous pouvez le constater, nous utilisons des machines à commandes numériques ultra modernes.

Mme Gaspart—Ça fait longtemps que ces machines sont installées?

Mr Reynolds —Il y a deux ans environ nous avons modernisé une grande partie de notre outil de production.

Mme Gaspart—Avez-vous été obligés de licencier du personnel?

Mr Reynolds —Non, les ouvriers les plus âgés ont pris une retraite anticipée, les plus qualifiés ont été recyclés et ceux qui ont démissionné pour une raison ou une autre n'ont pas été remplacés.

Mme Gaspart—Je suppose que ces machines vous ont permis d'accroître considérablement votre productivité?

Mr Reynolds —Absolument, notre productivité a augmenté de près de 15% . . . Nous sommes maintenant dans l'atelier de montage. Ici le travail se fait en grande partie à la main. Nous pensons que la finition artisanale est très importante.

Mme Gaspart—Je suis tout à fait d'accord. C'est ce qui différencie votre produit d'un produit de grande série.

Mr Reynolds —Dirigeons-nous maintenant vers les bureaux. Les bureaux sont situés au premier étage à droite. Il s'agit d'une grande salle "open plan". À gauche, toujours au premier étage, se trouve la salle d'exposition.

Mme Gaspart—Est-ce que vous avez en Grande-Bretagne l'équivalent du Minitel en France?

Mr Reynolds —Oui, nous avons Prestel et nos principaux clients se servent de ce système pour nous passer leurs commandes.

Mme Gaspart—Est-ce que votre gestion est informatisée?

Mr Reynolds —Oui, tout est informatisé: la gestion commerciale, la comptabilité, la gestion du personnel et la gestion des stocks.

Mme Gaspart—Et assurez-vous vous-mêmes la livraison de vos produits?

Mr Reynolds —Oui, nous avons nos propres camions et nous effectuons les livraisons dans tout le Royaume-Uni et en Irlande. Pour les autres pays nous utilisons un transitaire.

Mme Gaspart—Est-ce que votre salle d'exposition est ouverte au grand public?

Mr Reynolds —Oui, mais nous ne vendons pas directement au public. Toute personne désirant passer une commande doit se rendre chez le stockiste le plus proche de son domicile.

Vocabulaire

servir d'interprète, *to act as interpreter*
un atelier, *a workshop*
avoir raison, *to be right*
avoir tort, *to be wrong*
une machine à commandes numériques, *a computer controlled machine*
l'outil de production, *plant and machinery*
licencier, *to lay off, make redundant*
un licenciement, *a redundancy*
la retraite, *retirement*
prendre sa retraite, *to take retirement*
être en retraite, *to be retired*
démissionner, *to resign*
donner sa démission, *to hand in one's resignation*
former, *to train*
la formation, *training*
recycler, *to retrain*
le recyclage, *retraining*
un produit de grande série, *a mass produced article*
un ordinateur, *a computer*
l'informatique, *information technology*
informatiser, *to computerise*
la gestion du personnel, *personnel management*
la gestion des stocks, *stock control*

Exercises

Exercise 1: **Avez-vous bien compris?**
Essayez de répondre aux questions suivantes:

1 Que fera Mr Reynolds si Madame Gaspart veut poser des questions au personnel?

2 Combien y a-t-il de bâtiments et à quoi sont-ils destinés?

3 Qu'est-ce qu'ils utilisent comme machines?

4 Quand les machines ont-elles été installées?

5 Ont-ils été obligés de licencier du personnel?

6 De combien a augmenté la productivité?

7 Comment se fait le travail dans l'atelier de montage?

8 Où sont situés les bureaux?

9 Où se trouve la salle d'exposition?

10 A quoi sert Prestel?

11 Qu'est-ce qui est informatisé?

12 Comment se font les livraisons?

13 Que doivent faire les personnes qui veulent passer une commande?

Exercise 2: **Comment diriez-vous en français?**

1 I look forward to meeting you.

2 What do you want to start with?

3 You are right and I am wrong.

4 As you can see.

5 Three years ago we modernised the whole factory.

6 We had to lay off 50 people.

7 He resigned for one reason or another.

8 Productivity has gone up by 20%.

9 It is what differentiates our product.

10 Our clients use Prestel to place their orders.

11 Everything is computerised.

Exercise 3: **Practise – Ça fait combien de temps que . . .?**

Example

I say:	*You say:*
Je travaille dans une compagnie d'assurances	Ça fait combien de temps que vous travaillez dans une compagnie d'assurances?

—Ils fabriquent des ordinateurs.

—Elle est chargée des comptes.

—Nous vendons sur le marché belge.

—J'assure le suivi des ventes.

Exercise 4: **Practise – Depuis quand . . .?**

Example

I say:	*You say:*
J'utilise un ordinateur	Depuis quand utilisez-vous un ordinateur?

—Nous organisons des stages de formation.

—Ils se servent de machines électroniques.

—Elle s'occupe de la gestion du personnel.

—Nous effectuons les livraisons à l'étranger.

—Ils vendent en Chine.

Exercise 5: **Practise passive form**

Example

I say:	*You say:*
On a recyclé les plus jeunes.	Les plus jeunes ont été recyclés.

—On a modernisé les bureaux.

—On a remplacé le vieux système.

—On m'a promu.

—On nous a licenciés.

—On a refait la décoration.

—On m'a envoyé à l'étranger.

Comprehension

The following messages have been left on your answerphone. Listen to them and write a memo in English to pass on the information to the persons concerned.

Role Play

You phone Madame Hilaire in Toulouse to confirm the dates of her visit and the hotel booking.

Réceptionniste—La Société Motolec, bonjour.

You *(Ask the receptionist to put you through to Madame Hilaire.)*

Réceptionniste—C'est de la part de qui?

You *(Give your name and the name of your company.)*

Réceptionniste—Un instant, je vous prie . . . Désolée, Madame Hilaire est occupée. Vous patientez?

You *(Say yes, you'll hold for a while.)*

Réceptionniste—Allô, Madame Hilaire est en ligne.

You *(Greet her and tell her that you are phoning to confirm the booking of a room at the Crest Hotel for the night of 15th June.)*

Mme Hilaire —Comment, vous n'avez pas reçu mon fax? Je vous annonçais que je ne pouvais pas venir le 15 comme prévu et je suggérais que nous reportions notre visite à la semaine d'après, c'est à dire au 21 juin.

You *(Say you are very sorry but you have not received her fax but she need not worry. You will cancel the booking and make another one.)*

Mme Hilaire —Ça ne vous dérange donc pas que je vienne le 21 au lieu du 15?

You *(Say not at all. You are going to reorganise your schedule to be free on that day. Ask her to let you have the details of her flight so that you can pick her up.)*

Mme Hilaire —C'est vraiment très gentil de votre part. Ma secrétaire va s'en occuper tout de suite.

Tasks

Task 1

1 Make sure you understand all the information given about KEY SERVICES INTERNATIONAL.

2 Phone KEY SERVICES INTERNATIONAL to inquire about a 7-day package.
You are touring the south and the south-west of France from 1st to 7th July.
Arrival at Nice airport.
Departure from Bordeaux airport.
Car requirement:
4-seater saloon – 1300/1400cc – preferably Peugot 205 or Renault Clio.
Make sure you know:
—what is included in the price (refer to the ad)
—where to pick up the keys.
Be prepared to give:
—your name and address
—your credit card number
—expiry date of credit card.

Tout est simple :

En France, Europe, Afrique, USA, Pacifique, aux îles des Caraïbes et de l'Océan Indien, KEY SERVICES INTERNATIONAL vous propose ses tarifs spéciaux. En contactant notre bureau le plus proche ou sur un simple appel à notre centrale de réservations au (1) 46.51.51.70 ou par télex 615501 TTAS, vous pourrez réserver une voiture dans le pays de votre choix (35 destinations dans le monde).

Tout est clair :

Des forfaits de location de voitures pour des durées de 1, 3, 7, 14, 21, 30, 45 et 60 jours. Plus de 40 modèles de véhicules différents : berlines, automatiques, coupés, berlines de luxe, cabriolet, familiales et minibus...

Tout est compris :

Les jours, le kilométrage illimité, l'assurance du véhicule, le rachat de la franchise, l'assurance du conducteur et des passagers ainsi que les taxes locales.

LA LOCATION SANS SURPRISE
2, avenue de la Porte de Saint-Cloud
75016 Paris. Tél. (1) 46.51.51.70

Sans engagement de ma part, veuillez m'adresser votre documentation "la location sans surprise"

NOM ....

PRÉNOM ....

ADRESSE ....

....

....

A retourner à :
KEY SERVICES INTERNATIONAL
2, av. de la Porte de Saint-Cloud
75016 Paris. Tél. (1) 46.51.51.70
Télex 615 501 TTAS.
Téléfax (1) 40.71.00.14

Task 2
Translate the following leaflet into English.

Peu à peu, les Minitel s'implantent dans la France entière.
Cela vous concerne. Le Minitel est un nouveau moyen de communication et d'information qui vous offre de nombreux et nouveaux services. Parmi ceux-ci figurent ceux de votre banque.
Pour obtenir un Minitel (si vous ne l'avez déjà), il vous suffit d'être abonné au téléphone. Il vous est remis gratuitement par les P.T.T. si vous êtes situé en zone annuaire électronique, et moyennant une redevance de 85 F/mois dans le cas inverse. Mais très vite, l'ensemble du territoire en bénéficiera.
Pour plus de précisions, interrogez votre agence commerciale des Télécommunications, ou renseignez-vous auprès de votre agence Société Générale.

Tous les services bancaires à domicile !

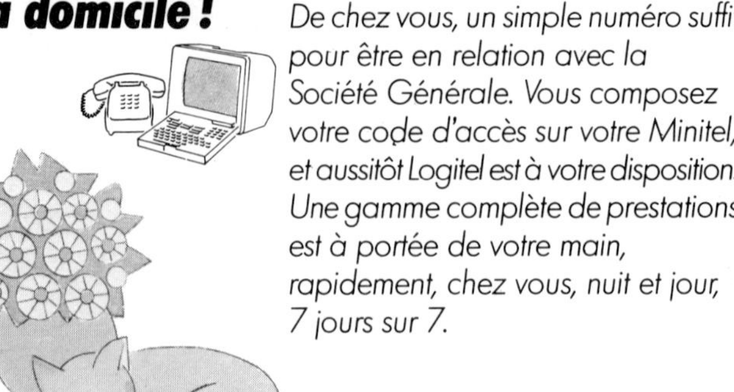

De chez vous, un simple numéro suffit pour être en relation avec la Société Générale. Vous composez votre code d'accès sur votre Minitel, et aussitôt Logitel est à votre disposition. Une gamme complète de prestations est à portée de votre main, rapidement, chez vous, nuit et jour, 7 jours sur 7.

UNIT 9 Au restaurant

Après sa visite à High Wycombe, Mme Gaspart rencontre M. Reynolds au restaurant pour un déjeuner d'affaires. Ils se rendent ensuite au bureau de Mme Gaspart où ils continuent leurs discussions et concluent leur premier marché.
(*Dans le bar*)

Mme Gaspart—Good morning, Mr Reynolds. How are you?

Mr Reynolds —Very well, thank you, and you? Nice to see you again.

Mme Gaspart—Oh, je vous en prie, n'en dites pas davantage. C'est tout l'anglais que j'ai eu le temps d'apprendre depuis mon retour de High Wycombe.

Mr Reynolds —Je suis très impressionné et très flatté que votre visite chez nous vous ait donné envie d'étudier l'anglais.

Mme Gaspart—Vous savez, je me suis sentie tellement idiote de ne pouvoir saluer votre P.D.G. dans sa propre langue que j'ai décidé de me remettre à l'anglais.

Mr Reynolds —Bravo, et quelle méthode avez-vous l'intention d'utiliser?

Mme Gaspart—Eh bien, j'ai acheté un cours de la BBC qui me paraît très efficace et très intéressant.

Mr Reynolds —Donc la prochaine fois que vous viendrez nous voir, vous n'aurez plus besoin de mes services d'interprète.

Mme Gaspart—Ne soyons pas trop optimistes! En attendant, j'ai hâte de retourner en Angleterre. J'en garde un souvenir fabuleux et je vous remercie encore du merveilleux accueil que vous m'avez réservé. J'ai trouvé votre région très belle et j'ai été particulièrement séduite par vos petits pubs.

Mr Reynolds —Voilà qui fait plaisir! Et si on commandait quelque chose à boire? Qu'est-ce que vous prenez comme apéritif?

Mme Gaspart—Pour moi ce sera un martini avec une tranche de citron et un glaçon.

Mr Reynolds —S'il vous plaît, mademoiselle . . . Un martini on the rocks, un pastis et le menu, s'il vous plaît.

Serveuse —Un martini et un pastis . . . oui.

Mme Gaspart—Comment se fait-il que vous buviez du pastis? Ce n'est pas très anglais. Je m'attendais à vous voir prendre un whisky.

Mr Reynolds —Quand j'étais étudiant, j'ai passé un an dans le Midi de la France et c'est là que j'ai appris à apprécier le pastis.

Mme Gaspart—Vous m'en direz tant. Je comprends pourquoi vous parlez si bien le français. Et parlez-vous d'autres langues?

Mr Reynolds —Oui, l'allemand mais pas aussi couramment que le français. A votre santé et à la réussite de notre entreprise!

Mme Gaspart—A notre succès!

Mr Reynolds —Maintenant, passons aux choses sérieuses. Vous n'êtes pas obligée de prendre un menu, vous pouvez choisir quelque chose à la carte.

Mme Gaspart—Le menu à 150 F me plaît bien, qu'en pensez-vous?

Mr Reynolds —Oui – la terrine de canard me tente mais d'un autre côté je n'ai pas mangé d'escargots depuis si longtemps.

Mme Gaspart—Vous aimez les escargots? Décidément vous n'avez rien d'un Anglais. Moi, je pencherais plutôt pour les huîtres. J'ai un faible pour les fruits de mer.

Mr Reynolds —Moi aussi, mais je ne peux pas en manger. Je suis allergique.

Mme Gaspart—Quel dommage! Après les huîtres je prendrai une sole meunière avec des pommes vapeur. Une salade verte et un dessert.

Mr Reynolds —Moi, je commencerai par les escargots et ensuite je prendrai une caille aux raisins, j'adore ça. Je suis très gourmand, vous savez.

Mme Gaspart—Je dirais plutôt gourmet que gourmand.

Mr Reynolds —Hum, vous êtes gentille.

Mme Gaspart—Comme vous semblez vous y connaître en gastronomie, quels sont vos plats favoris?

Mr Reynolds —Oh, j'aime beaucoup les plats en sauce tels que le coq au vin ou le boeuf bourguignon. J'aime aussi la charcuterie, pâtés, saucissons, jambon fumé . . . enfin tout ce qui est riche, fait grossir et bouche les artères!

Mme Gaspart—Inutile de vous demander si vous aimez le vin. Allez, choisissez une bonne bouteille de Bourgogne ou de Bordeaux pour aller avec votre caille aux raisins.

Mr Reynolds —Ah non, comme vous prenez du poisson nous allons commander une bouteille de vin blanc sec.

Mme Gaspart—Non, vraiment. Je ne bois jamais de vin au déjeuner. Pour moi ce sera une eau minérale.

Mr Reynolds —Alors, vous allez me laisser boire tout seul? Je ferais mieux de prendre de l'eau minérale aussi.

Mme Gaspart—Ah non! J'insiste – vous n'allez quand même pas manger une caille aux raisins avec de l'eau. Allez, offrez-vous une bonne petite bouteille de Bordeaux 1975.

Mr Reynolds —Après tout, vous avez raison – le petit Château Latour 1975 n'a pas l'air mal du tout. Bon, si vous êtes prête, nous pouvons passer à table. Après vous . . .

MENU à 95 F
Hors d'oeuvres maison
ou
Terrine de canard
ou
Melon au porto
* * *
Rognons au madère
ou
Steak au poivre vert
ou
Carpe farcie
* * *
Fromage
ou
Dessert au choix

MENU à 150 F
Escargots
ou
Terrine de canard
ou
Huîtres
* * *
Cailles aux raisins
ou
Sole Meunière
ou
Entrecôte Chasseur
Légumes au choix
* * *
Plateau de fromages
* * *
Dessert au choix

TVA et Service Compris

Vocabulaire

un marché, *a deal, order*
conclure un marché, *to make a deal/to clinch a deal*
impressionner, *to impress*
faire bonne impression (à), *to make a good impression (on)*
faire mauvaise impression, *to make a bad impression*

saluer, *to greet*
les salutations (f), *greetings*
un cours, *a course/a lesson*
efficace/inefficace, *effective/ineffective*
un interprète, *an interpreter*
un traducteur, *a translator*
avoir hâte de, *to look forward to, long to*
un accueil, *a welcome*
un accueil chaleureux, *a warm welcome*
accueillir, *to receive*
un comité d'accueil, *a reception committee*
Comment se fait-il que? *How is it that . . .?*
s'attendre à (ce que) + subj., *to expect*
Vous m'en direz tant, *Is that really so?*
Je parle bien/mal/couramment le français, *I speak French well, badly, fluently*
une boisson, *a drink*
un glaçon, *an ice cube*
à votre santé, *cheers!*
la réussite, *success*
réussir à faire quelque chose, *to succeed in doing something*
pencher pour quelque chose, *to be inclined to do something*
avoir un faible (pour), *to have a weak spot (for)*
gentil, gentille, *nice*
c'est gentil de votre part, *it's nice of you . . .*
s'y connaître (en), *to know something (about)*
faire grossir, *to be fattening*
gros/mince, *fat/thin*
maigrir, *to lose weight*
s'offrir quelque chose, *to treat yourself to something*
avoir raison/avoir tort, *to be right / to be wrong*
avoir l'air, *to seem*

Exercises

Exercise 1: **Avez-vous bien compris?**
Essayez de répondre aux questions suivantes:

1 Où a lieu cette conversation entre Mme Gaspart et M. Reynolds?

2 Mme Gaspart connaît-elle bien l'anglais?

3 A-t-elle l'intention de se remettre à l'anglais?

4 Quel cours a-t-elle choisi?

5 Mme Gaspart a-t-elle été enchantée de sa visite en Angleterre?

6 Qu'est-ce qui lui a plu tout particulièrement?

7 Quelles consommations commandent-ils?

8 M. Reynolds connaît-il bien la France?

9 Choisissent-ils de manger à la carte?

10 Que choisit Mme Gaspart en entrée?

11 Pourquoi M. Reynolds ne prend-il pas d'huîtres?

12 Que choisit donc M. Reynolds?

13 Que vont-ils boire?

Exercise 2: **Comment diriez-vous en français?**

1 I felt very tired.

2 Her trip to Spain has made her want to learn Spanish.

3 This course seems extremely good.

4 In the meantime . . .

5 We look forward to going back to Paris.

6 What will you have to drink?

7 How is it that you like garlic?

8 He speaks Italian fluently.

9 Cheers!

10 I like pâté but I can't eat it.

11 Treat yourself to a second dessert.

Exercise 3: **Practise – perfect subjunctive with avoir**

Example

I say:	*You say:*
J'ai reçu une grosse commande.	Je suis content que vous ayez reçu une grosse commande.

—Il a obtenu le contrat. (il)

—Nous avons baissé le prix. (nous)

—Tu as servi d'interprète. (tu)

—J'ai traduit la brochure. (vous)

—Elle a fait les réservations. (elle)

Exercise 4: Practise – perfect subjunctive with être

Example

I say:	*You say:*
Je suis arrivé en retard.	Je regrette que vous soyez arrivé en retard.

—Il est venu sans rendez-vous. (il)

—Elle est tombée malade. (elle)

—Nous sommes allés voir votre concurrent. (vous)

—Je suis descendu dans le mauvais hôtel. (tu)

—Je me suis dépêché pour rien. (tu)

Exercise 5: Practise – Si + imperfect

Example

I say:	*You say:*
Let's go to the cinema.	Et si on allait au cinéma?

—Let's have a drink.

—Let's ask for the menu.

—Let's order the meal.

—Let's choose a dessert.

—Let's start with the snails.

—Let's finish with champagne.

Exercise 6: Practise – present conditional

Example

I say:	*You say:*
If I had money I would have the 300F menu.	Si j'avais de l'argent je prendrais le menu à 300F.

—If I spoke French I would understand the menu.

—If they drank too much they wouldn't be able to drive.

—If she were not allergic she would have fish.

—If you had more time we would have dinner together.

Role Play

You are entertaining a French visitor in a typical English pub.

You *(Ask him if he would like a drink before his meal.)*

Visiteur—Avec plaisir. J'aimerais boire quelque chose de typiquement anglais. Qu'est-ce que vous me recommandez?

You *(Say this pub has an excellent choice of beers. Ask if he has ever drunk bitter.)*

Visiteur—Non, jamais. J'aimerais bien essayer.

You *(Say it is better if you order the meal right now. Ask if he wants a starter or just a main meal.)*

Visiteur—Comme nous allons dîner dans un restaurant français ce soir, je préfère manger léger.

You *(Recommend the steak and kidney pie which is home-made and served with vegetables. Explain what it is and add that this is what you are having.)*

Visiteur—D'accord, je prends ça. Le risque ne me fait pas peur!

You *(Ask if he would like to have beer with his meal or if he prefers wine.)*

Visiteur—Oui, du vin rouge, s'il vous plaît.

You *(Ask him to choose the wine from the limited wine list.)*

Visiteur—Une bouteille de Côtes du Rhône, ça vous va?

You *(Say it's fine and raise your glass to the success of your business deal.)*

Tasks

Task 1

You are about to order a meal in a French restaurant. You discuss the menu and wine list and ask for advice and information from the waiter.
Make a list of useful expressions you may want to use, referring back to the dialogue if necessary.

COCKTAILS

COCKTAIL DE LA FÉE	28,00
NOTRE GUIGNOLET ANGEVIN PURS FRUITS	13,50
NOTRE COCKTAIL FORME	12,00

SALADES ENTREES

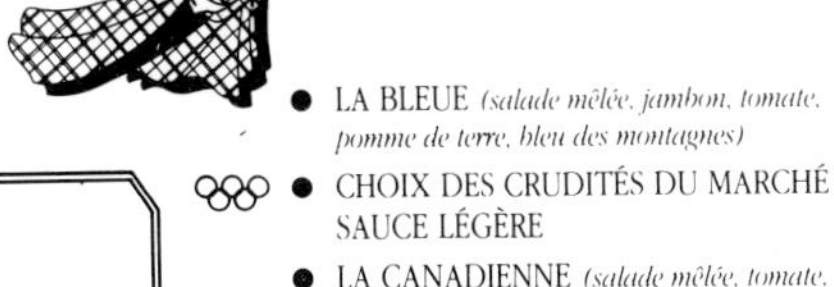

● LA BLEUE *(salade mêlée, jambon, tomate, pomme de terre, bleu des montagnes)*	40,00
● CHOIX DES CRUDITÉS DU MARCHÉ SAUCE LÉGÈRE	28,00
● LA CANADIENNE *(salade mêlée, tomate, vollaille, riz, maïs, sauce curry)*	39,00
● L'ENCHANTERESSE *(soja, laitue, tomate, cœurs de palmiers, poisson crabe, sauce cocktail au gingembre)*	42,00
AUX LARDONS ET AUX DEUX FROMAGES CHAUDS	45,00
● L'ŒUF A LA RUSSE	21,00
● RILLETTES D'OIE DU MAINE	27,00
● HARENGS BALTIQUE *(harengs marinés, pommes de terres, crème acidulée, cornichons, œufs de lump)*	32,00

SUR LE GRIL

LA FÉE TOUT recommande le VERRE de notre ANJOU ROUGE *(12 cl)* 10,00

● LA PIÈCE DU BOUCHER	76,00
● LE FAUX FILET GRILLÉ *(beurre Maître d'Hôtel)*	69,00
● LA BAVETTE BIEN TAILLÉE	55,00
● LE PETIT CHAPERON AU BEURRE ROUGE *(une belle aiguillette de volaille au beurre de poivron rouge)*	38,50
● UN PETIT CHAPERON NATURE	36,50
● LA BROCHETTE MARINÉE AU THYM *(bœuf, volaille, riz curry, sauce au choix)*	60,00
LES SAUCES AU CHOIX : *Poivre*	7,50
Béarnaise	9,00
Roquefort	7,50

LEGUMES AU CHOIX 9,50

POISSONS

LA FÉE TOUT recommande le VERRE de notre ANJOU SEC *(Château La Roulerie 12 cl)* 10,00

LA SOUPE DE POISSON, *sauce rouille*	27,00
LE SAUMON AU ROSÉ DE LOIRE	58,00
L'ESCALOPE DE JULIENNE A LA VAPEUR DE BASILIC *et son coulis de tomate*	43,00
LA BLANQUETTE DE LA FÉE *(saumon, julienne, petits légumes, sauce safran)*	53,50

PATISSERIES

LA FÉE recommande le VERRE de CIDRE *(25 cl)* 10,00

DÉLICE DE LA FÉE CHOCOLAT	22,00
TARTE A LA MODE *(pommes, cannelle, glace vanille, chantilly)*	23,00
CRÈME LÉGÈRE AU CARAMEL	17,00
BAVAROIS AU FROMAGE BLANC ET COULIS DE FRAMBOISE	20,00
MOUSSE CHOCOLAT AUX ZESTES D'ORANGES CONFITS	19,00
PATISSERIE DU JOUR : CONSULTEZ L'ARDOISE MAGIQUE	

GLACES

SORBETS, GLACES	12,00
SORBETS ET LIQUEURS *(pomme, poire, cassis, cointreau)*	20,00
COLIBRI *(sorbet menthe nappé de chocolat)*	21,00
TRÈS ANTILLES *(subtil assemblage de glace de noix de coco et fruits de la passion, d'ananas, de kiwi et de griottes, parfumé à la cannelle et au rhum)*	30,00
COUPE CHOC *(glace chocolat, chocolat chaud, et crème chantilly)*	24,00
COCKTAIL D'AGRUMES *(orange, pamplemousse, glace passion, coulis de framboise)*	28,00
COUPE BRASILIA *(glace café et créole, sauce café, ananas, rhum, crème chantilly)*	25,50
CAFÉ LIEGEOIS *(café glacé, glace au café, crème chantilly)*	21,00
MONTMORENCY *(sorbet griottes, glace vanille, griottes au sirop macérées au Kirsch, crème chantilly)*	28,50

MENU
PETIT DIABLE
JUSQU'A 10 ANS
100 g de pure viande hachée
ou le jambon de régime
ou le petit chaperon rouge
la GLACE ARC EN CIEL
ou LA CRÈME LÉGÈRE AU CARAMEL
32,00

POUR TOUTE CONSOMMATION EXIGER VOTRE FACTURE

Task 2

Make sure you understand what is said about the different restaurants in the following extracts before you invite your friends.

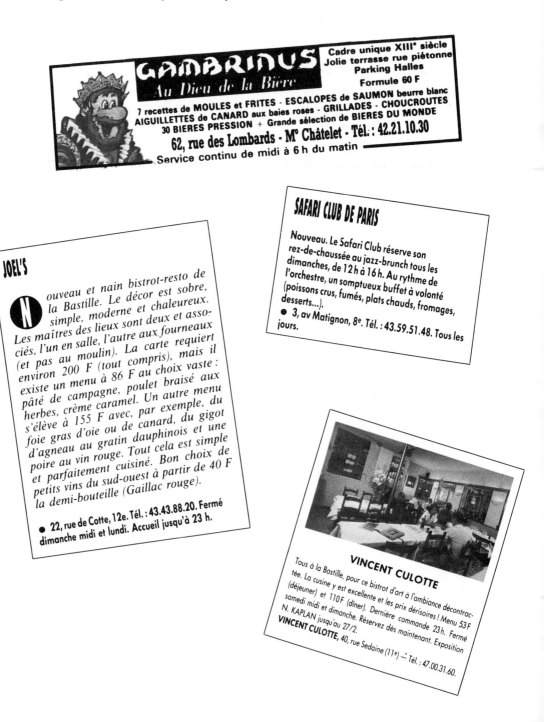

GAMBRINUS
Au Dieu de la Bière
Cadre unique XIII° siècle
Jolie terrasse rue piétonne
Parking Halles
Formule 60 F
7 recettes de MOULES et FRITES - ESCALOPES de SAUMON beurre blanc
AIGUILLETTES de CANARD aux baies roses - GRILLADES - CHOUCROUTES
30 BIERES PRESSION + Grande sélection de BIERES DU MONDE
62, rue des Lombards - M° Châtelet - Tél. : 42.21.10.30
Service continu de midi à 6 h du matin

SAFARI CLUB DE PARIS

Nouveau. Le Safari Club réserve son rez-de-chaussée au jazz-brunch tous les dimanches, de 12 h à 16 h. Au rythme de l'orchestre, un somptueux buffet à volonté (poissons crus, fumés, plats chauds, fromages, desserts...).

● **3, av Matignon, 8e. Tél. : 43.59.51.48. Tous les jours.**

JOEL'S

Nouveau et nain bistrot-resto de la Bastille. Le décor est sobre, simple, moderne et chaleureux. Les maîtres des lieux sont deux et associés, l'un en salle, l'autre aux fourneaux (et pas au moulin). La carte requiert environ 200 F (tout compris), mais il existe un menu à 86 F au choix vaste : pâté de campagne, poulet braisé aux herbes, crème caramel. Un autre menu s'élève à 155 F avec, par exemple, du foie gras d'oie ou de canard, du gigot d'agneau au gratin dauphinois et une poire au vin rouge. Tout cela est simple et parfaitement cuisiné. Bon choix de petits vins du sud-ouest à partir de 40 F la demi-bouteille (Gaillac rouge).

● **22, rue de Cotte, 12e. Tél. : 43.43.88.20. Fermé dimanche midi et lundi. Accueil jusqu'à 23 h.**

VINCENT CULOTTE

Tous à la Bastille, pour ce bistrot d'art à l'ambiance décontractée. La cuisine y est excellente et les prix dérisoires ! Menu 53 F (déjeuner) et 110 F (dîner). Dernière commande 23 h. Fermé samedi midi et dimanche. Réservez dès maintenant. Exposition N. KAPLAN jusqu'au 27/2.

VINCENT CULOTTE, 40, rue Sedaine (11e) – Tél. : 47.00.31.60.

Musique LIVE et cuisine TEX MEX
SUSAN'S PLACE
51 rue des Ecoles (5ème)
l'un des meilleurs CHILI de Paris
(plats végétariens mexicains)
Rés. : 43.54.23.22

ARMAND AU PALAIS ROYAL

A deux pas des jardins du Palais Royal gît une belle vieille salle voûtée aux pierres apparentes. Le jeune chef, Jean-Pierre Ferron, vient de racheter la maison et c'est une bonne idée parce qu'il sait fort bien cuisiner. Pour dîner, il demande environ 400 F. Le déjeuner est plus abordable avec un menu-aubaine à 170 F pour une terrine de faisan, de la daurade grillée, du fromage et un gâteau au chocolat amer.

● 6, rue de Beaujolais, 1er. Tél. : 42.60.05.11. Fermé samedi midi et dimanche. Accueil jusqu'à 22 h 30.

AZTECA

Son succès constant augmentant la fréquentation, ce délicieux restaurant s'est agrandi et c'est dans deux magnifiques salles voûtées aux pierres apparentes que vous retrouverez les Mariachi et les meilleures spécialités de chefs apportant les saveurs variées de leur Mexique natal. Après un cocktail joyeux et exotique, le guacamole, l'inoubliable chili con carne, le filet de porc pimenté, les tortillas, les tacos et les vuelve a la vida (fruits de mer et poissons crus marinés) feront de vous de fines gueules éclairées...

● 7, rue Sauval, 1er. Tél. : 42.36.11.16. Fermé sam. midi et dim. Accueil jusqu'à 0 h 30.

LE PETIT LAUGIER

Dans ce vieux bistro du début du siècle, on redécouvre la bonne vieille cuisine française traditionnelle. Menu à 100 F et carte.

● 83, rue Laugier, 17e. Tél. : 42.67.82.14. Fermé samedi.

Dorénavant, le Petit Villiers vous propose la même formule.

● 75, av de Villiers, 17e. Tél. : 48.88.96.59. Fermé dimanche.

UNIT 10 Deuxième rendez-vous d'affaires (1)

(*Dans le bureau de Mme Gaspart après le déjeuner*)

Mme Gaspart—J'avoue que les dîners d'affaires ne m'incitent pas particulièrement au travail. J'aurais besoin d'une bonne marche et d'un peu d'air frais.

Mr Reynolds —Et moi donc, j'espère que le petit Château Latour 1975 ne va pas affecter mon jugement dans les négociations qui vont suivre!

Mme Gaspart—Comme je vous disais au cours du déjeuner nous sommes maintenant prêts à vous passer notre première commande. D'après les réactions de nos chefs de magasin, nous avons de fortes chances de réussir.

Mr Reynolds —Et vous êtes-vous mis d'accord sur le choix des modèles? Vous m'aviez mentionné que vous alliez vous cantonner à la gamme de petits meubles.

Mme Gaspart—C'est exact, nous avons convenu ensemble d'une commande de meubles de coin et de tables de salon.

Mr Reynolds —Je suis surpris que vous n'ayez pas inclus notre petit bahut, réf. C928 et C930. Vous pouvez le transformer en buffet, vaisselier, bibliothèque etc. C'est un meuble versatile qui prend peu de place et qui offre beaucoup de possibilités.

Mme Gaspart—Mais vous avez absolument raison et nous sommes très intéressés. Croyez-moi, la versatilité de ce petit meuble ne nous a pas échappé et nous avons bien l'intention de l'inclure dans notre catalogue, mais à une date ultérieure. Si tout marche comme prévu et si nos entrepôts de Lille sont disponibles au début de l'année prochaine nous vous passerons une commande supplémentaire.

Mr Reynolds —Je vois que vous avez déjà rempli votre bon de commande.

Mme Gaspart—Oui, en voici un exemplaire. Comme vous voyez, nous utilisons nos propres bons de commande. Ça facilite énormément le travail administratif et comptable, d'autant plus que tout est informatisé.

Mr Reynolds —En ce qui concerne le prix, voulez-vous que je vous fasse un prix franco domicile qui inclue l'assurance et le transport ou préférez-vous un prix sortie d'usine?

Mme Gaspart—Je préfère que vous me donniez un prix franco Paris.

Mr Reynolds —Pour cette première commande je propose que nous calculions les prix avec une livre à 10F.

Mme Gaspart—Pas de problème. De toute façon la livre ne risque pas de fluctuer beaucoup.

Mr Reynolds —En ce qui concerne nos modalités de paiement, nous offrons un escompte de 2,5% 30 jours net ou 60 jours sans escompte.

William Bartlett & Son
STRONGBOW

Mme Gaspart—30 jours est hors de question. En France les délais de paiement vont de 60 jours fin de mois à 90 jours. Presque tous nos fournisseurs nous font 90 jours.

Mr Reynolds —90 jours nous poserait de gros problèmes de cash-flow car les délais de paiement en Angleterre sont beaucoup plus courts. Mais je pense que nous pouvons arriver à un compromis. Que diriez-vous de 60 jours fin de mois?

Mme Gaspart—Ça me paraît tout à fait acceptable. Nous disons donc prix franco domicile, 60 jours fin de mois.

Mr Reynolds —C'est exact. En ce qui concerne les délais de livraison ils vont de 8 à 10 semaines. Et je peux vous assurer que nous respectons nos dates de livraison.

Mme Gaspart—Vous oubliez les conflits sociaux, les grèves . . .

Mr Reynolds —De ce côté, aucun problème. Nos relations cadres-ouvriers sont excellentes et nous ne sommes pas touchés par les conflits sociaux dont on parle tant dans les média.

Mme Gaspart—Je ne faisais pas allusion à votre personnel. Je pensais plutôt aux grèves des dockers et des camionneurs.

Mr Reynolds —Là, ce sont des circonstances indépendantes de notre volonté mais je ne pense pas qu'il y ait beaucoup de grèves. Le chômage est si élevé que les ouvriers ont peur de perdre leur emploi et ils ne suivent pas toujours les mots d'ordre de leurs syndicats.

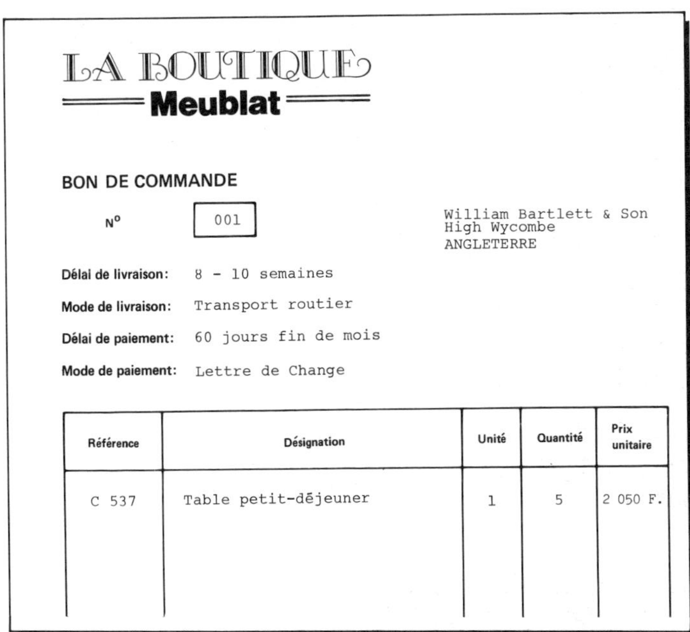

LA BOUTIQUE
Meublat

BON DE COMMANDE

N° 001

William Bartlett & Son
High Wycombe
ANGLETERRE

Délai de livraison: 8 - 10 semaines

Mode de livraison: Transport routier

Délai de paiement: 60 jours fin de mois

Mode de paiement: Lettre de Change

Référence	Désignation	Unité	Quantité	Prix unitaire
C 537	Table petit-déjeuner	1	5	2 050 F.

Vocabulaire

un chef de magasin, *a store manager*
les négociations (f), *negotiations*
engager des négociations, *to enter into, begin negotiations*
négocier, *to negotiate*
négociable, *negotiable*
passer une commande, *to place an order*
modifier une commande, *to change an order*
remplacer une commande, *to replace an order*
annuler une commande, *to cancel an order*
se mettre d'accord sur, *to agree on*
être d'accord avec, *to agree with*
arriver à un accord, *to reach an agreement*
convenir de, *to agree on*
se cantonner à, *to restrict (oneself) to*
se limiter à, *to limit (oneself) to*
inclure, *to include, enclose*
ci-inclus, *enclosed*
à une date ultérieure, *at a later date*
si tout marche comme prévu, *if everything goes as planned*
un entrepôt, *a warehouse*
disponible, *available*
remplir un formulaire, une fiche, *to fill in a form*
un bon de commande, *an order form*
une facture, *a bill, invoice*
faciliter/compliquer, *to make easier / to complicate*
compter, *to count*
les comptes (m pl), *the accounts*
un comptable, *an accountant*
la comptabilité, *accounting/accounts department*
l'administration (f), *administration*
l'information (f), *data, information*
l'informaticien (m), *computer scientist*
informatiser, *to computerise*
l'informatique, *computer science*
un ordinateur, *a computer*
calculer un prix, *to work out a price*
faire un prix, *to quote a price*
baisser un prix, *to lower a price*
augmenter un prix, *to increase a price*
une liste de prix, un tarif, *a price list*
remettre quelque chose à quelqu'un, *to hand over, give*
un escompte, *a discount (for quick payment)*
une remise, *a discount (for large orders)*
un rabais, *a special reduction (end of line . . .)*
accorder/consentir un escompte, *to give, allow a discount*

une grève, *a strike*
les conflits (m pl) sociaux, *industrial disputes*
un syndicat, *a trade union*
syndiqué, *in a union*
un mot d'ordre, *call to strike*
être touché par, *to be affected by*
faire allusion à, *to refer to, hint at*
un camionneur, *a lorry driver*
un chauffeur de poids lourd, *a heavy goods driver*
des circonstances indépendantes de notre volonté, *circumstances beyond our control*
le chômage, *unemployment*
un chômeur, *an unemployed person*
un emploi, *a job*

Exercises

Exercise 1: **Avez-vous bien compris?**
Essayez de répondre aux questions suivantes:

1 Que craint M. Reynolds?

2 Qu'est-ce que Mme Gaspart a décidé de faire?

3 Quels meubles ont été choisis par Mme Gaspart et ses collègues?

4 Pourquoi Mme Gaspart n'a-t-elle pas inclus le petit bahut que vante M. Reynolds?

5 Qu'est-ce que Mme Gaspart a déjà fait?

6 Qu'est-ce que Mme Gaspart veut comme prix?

7 Comment vont-ils calculer les prix français?

8 Quel escompte offre M. Reynolds?

9 En ce qui concerne les modalités de paiement, que propose M. Reynolds?

10 Comment réagit Mme Gaspart?

11 Que propose donc M. Reynolds?

12 Quels sont les délais de livraison?

13 Pourquoi M. Reynolds peut-il garantir que les délais de livraison seront respectés?

Exercise 2: Comment diriez-vous en français?

1 As I was telling you earlier . . .

2 We would like to place an order.

3 They have agreed on the range of colours.

4 They are surprised that you chose such a heavy material.

5 We intend to place a second order in six months' time.

6 This new model will be available in June.

7 Do you want me to give you a free delivered price?

8 I suggest we work out a price which includes insurance and transport.

9 Payments terms are shorter in England.

10 We must agree on prices.

11 I have no objection to that.

12 The terms of payment.

13 We can reach a compromise.

14 What about a 2% discount?

15 They are not affected by strikes.

16 I am referring to the recent dockers' strike.

Exercise 3: Practise – payment terms

a) Write down the following figures and use the information to do part **b)**:

—For cash payment you'll give 4% discount.

—For 30 days payment you'll give 2.5% discount.

—For 60 days you'll give no discount.

—For 90 days you'll give no discount.

b) *I say:*
Et si je vous paie dans un délai de 30 jours?

You say:
Si vous me payez dans un délai de 30 jours, je vous accorderai un escompte de 2.5%.

—Et si je vous paie comptant?

—Et si je vous paie dans un délai de 60 jours?

—Et si je vous paie dans un délai de 90 jours?

Exercise 4: Selling Exercise

Write down the following:

Product: a computer
Exchange rate: £1 = 10F
Delivery: 6 weeks
Price: £5,000
Insurance & Transport: 10% extra
Payment: 5% discount for cash payment or 60-days draft.

Now that you have all the data required to answer my enquiry, answer the following questions:

—Combien fait cet ordinateur?

—Quel est le taux de la livre en ce moment?

—Alors à combien revient cet ordinateur en francs?

—Est-ce que le transport est compris?

—Et l'assurance?

—A combien s'élèvent l'assurance et le transport?

—Est-ce que vous vous chargez du transport?

—Quels sont vos délais de paiement?

—Est-ce que vous accordez un escompte pour 30 jours?

—Quand pourriez-vous effectuer la livraison?

Comprehension

Listen to the following answerphone message and translate it into English.

Role Play

Following Madame Ferrand's visit to your firm, you make a follow-up visit to her office.

Mme Ferrand—Je suis heureuse de vous annoncer que notre test-produit a obtenu des résultats très encourageants et nous sommes donc décidés à passer une commande.

You *(Say that you are pleased and that similar tests were carried out in Spain and Italy and they have given equally good results. Ask if she intends to order the whole range of products.)*

Mme Ferrand—Non, pour la première commande, nous nous sommes limités aux produits de beauté pour le visage.

You *(Say that you think it is a good choice to start with but you are surprised that she has not included the hair products.)*

Mme Ferrand—En ce qui concerne les produits pour les cheveux nous avons une gamme qui se vend très bien et dont les prix sont nettement plus compétitifs que les vôtres.

You *(Say that your prices include insurance and transport and you would be prepared to offer a good price for a first order.)*

Mme Ferrand—Dans ce cas nous y penserons d'ici quelque temps. A propos du transport, je voulais vous préciser que les marchandises doivent être livrées à notre entrepôt de Marne la Vallée. Comment comptez-vous organiser le transport?

You *(Say that you have been working with a road haulage company for years. They know your products and the carriage is safe.)*

Mme Ferrand—Par camion? Ce ne serait pas mieux par avion?

You *(Say that the plane is really too expensive and besides the packaging is adapted to road transport.)*

Mme Ferrand—Bien. Je crois que nous avons passé en revue les principaux points, puisque nous nous sommes mis d'accord la semaine dernière en Angleterre sur les délais de paiement.

You *(Say yes, you agreed on 60 days after delivery. But you can offer a discount if they pay in 30 days.)*

Mme Ferrand—A combien s'élèverait l'escompte si on payait sous 30 jours?

You *(Say that you would offer a 2% discount.)*

Mme Ferrand—Bien, je vais en discuter avec le service comptabilité et nous vous en informerons dès que possible.

Interpreting

Act as interpreter between a supplier and his potential customer.

Tasks

Task 1

Write a report in French on the meeting between Mme Gaspart and Mr Reynolds listing the points agreed on so far.

Task 2
Study the following conditions of sale and extract information under the following headings:

—prices

—payment terms

—guarantee

CONDITIONS DE VENTE

Les conditions de vente figurant au présent tarif s'entendent franco domicile pour un minimum de 100 kg et 50 unités standard.

Les prix s'entendent sans engagement, nos conditions restant celles du jour de livraison. Ils s'appliquent à une commande groupée, en un seul point de livraison et donnant lieu à l'établissement d'une seule facture.

Les articles ne peuvent être ni repris ni échangés, sauf en cas d'avaries signalées dès la livraison.

Conditions de Paiement: 30 jours, 15 et fin de mois.

Réserve de propriété: le transfert de propriété de nos marchandises est assujetti au paiement intégral du prix correspondant.

Afin de respecter la législation, les emballages de nos produits comportent la mention:

"A CONSOMMER DE PREFERENCE AVANT LE": (date en clair).

Nous vous garantissons que tous les produits seront livrés au moins 7 mois avant cette date à nos distributeurs; ceci leur donnera un laps de temps largement suffisant pour en assurer l'écoulement normal. De ce fait nous ne serons plus responsables de la marchandise au-delà du délai mentionné.

Task 3
Summarise the content of the following telex for the Accounts Department.

```
837242 MULRAPG
BP BA 710065F

DE BANQUE POPULAIRE BRETAGNE ATLANTIQUE, NANTES A
MULTIWRAP LTD.
A L'ATTENTION DE MME EDITH ROSE.

NOUS SOUSSIGNES BANQUE POPULAIRE BRETAGNE
ATLANTIQUE, CEDEX 3, CERTIFIONS AVOIR BLOQUE
IRREVOCABLEMENT SUR ORDRE DE NOS
CLIENTS: SOCIETE DUPUIS,
LA SOMME DE FRF 22.855,60
VINGT DEUX MILLE HUIT CENT CINQUANTE CINQ FRANCS
SOIXANTE CENTIMES EN FAVEUR DE VOUS MEMES
CONCERNANT FACTURE 90100
VALIDITE DE CETTE GARANTIE: 25 MARS 199.

NOUS EN EFFECTUERONS LE REGLEMENT SANS AUTRE AVIS DE
NOS CLIENTS, DES RECEPTION D'UNE PIECE
JUSTIFICATIVE DOUANIERE PROUVANT L'ENTREE DE LA
MARCHANDISE EN FRANCE.

FAIT A NANTES, LE 25 FEVRIER 199.

N/REF. COMEX YM/MJ

SALUTATIONS
COMEX
```

Task 4

Translate the following fax and telephone to confirm. Say you'd rather pay the full amount by S.W.I.F.T. and ask if they could give you an idea of the delivery date.

PIERRE COUNOT BLANDIN

A l'attention de Monsieur . . . . . .

Nous notons, votre commande ferme ref. LA278/TRH d'un montant, départ d'usine, de 7971,00 FF HT.

Cette commande sera remise aux transports THOINARD pour vous être livrée dans les délais les plus brefs à votre adresse:
. . . .

Le prix du transport de l'usine à votre adresse (frais de douane, assurance, etc . . .) s'élève à 1400 FF HT.

PAIEMENT: pour cette première affaire, veuillez nous faire parvenir au moins 1/3 par virement S.W.I.F.T. Adresse SNVB 2 YTELEX 960.205. Le solde devra être versé au transporteur ou si cela est plus simple et plus pratique, la totalité par virement S.W.I.F.T.

Veuillez confirmer votre accord afin que nous prévenions le transporteur ce jour.

Ci-joint photo de la bergère ref. 6 498 710

Avec nos meilleures salutations.

TRANSMISSION TELECOPIE: 1 PAGE

UNIT 11 Deuxième rendez-vous d'affaires (2)

Les risques sont réduits au minimum

Mme Gaspart—Maintenant, je voudrais aborder la question de la publicité. Comme nous vendons sous notre propre marque, nous avons un catalogue maison.

M. Reynolds —Et est-ce que vous avez l'intention de mettre les meubles français et anglais dans le même catalogue?

Mme Gaspart—Non, nous allons produire un deuxième catalogue, intitulé 'Meublat, le style anglais.' D'autre part nous allons insérer une publicité dans le magazine *La Maison Française* dont je vous ai donné un exemplaire.

Mr Reynolds —Oui, effectivement, c'est un magazine qui ressemble beaucoup à *House and Gardens* en Angleterre. Mais il s'agit d'une publicité à l'échelon national. Est-ce que vous faites aussi de la publicité sur le plan local?

Mme Gaspart—Oui, bien sûr. Comme vous savez, nous avons 25 magasins répartis dans toute la France et nous faisons systématiquement de la publicité dans les journaux locaux. Nous avons aussi des affiches dans les villes où sont implantés nos magasins.

Mr Reynolds —Et est-ce que vos fournisseurs participent aux frais publicitaires?

Mme Gaspart—Pas vraiment. Toute la publicité est à notre compte. La seule chose que nous vous demandons, c'est de nous fournir les photos dont nous avons besoin pour notre catalogue.

Mr Reynolds —Ça ne pose aucun problème. De notre côté, nous proposons d'organiser à nos frais une journée de formation pour vos chefs de magasin de façon à les motiver et à les familiariser avec le produit. Bien vendre implique une bonne connaissance du produit.

Mme Gaspart—Excellente idée! Et quand envisagez-vous d'organiser cette visite? A mon avis il faudrait que ce soit dans un avenir assez proche car nous comptons lancer notre gamme anglaise dans 6 mois environ.

Mr Reynolds —Je m'en occupe dès mon retour et je vous téléphonerai pour vous proposer plusieurs dates. Peut-être que vous pourriez demander à vos chefs de magasin quelle période leur conviendrait le mieux.

Mme Gaspart—C'est entendu. Je prends note. Ah. Il y a une chose que nous avons oublié de discuter: l'emballage. Notre réputation est fondée sur la qualité, le fini et la présentation de nos produits. Nous sommes donc très exigeants en ce qui concerne l'emballage.

Mr Reynolds —Je comprends vos inquiétudes mais vous n'avez pas de souci à vous faire. Le transitaire que nous utilisons a une longue expérience du transport des meubles à l'étranger et ils ont conçu un emballage spécialement adapté au produit et au mode de transport.

Mme Gaspart—Vous comprenez qu'il nous faut un emballage qui soit suffisamment solide et étanche pour supporter une manutention fréquente et rapide.

Mr Reynolds —Croyez-moi les risques d'avaries sont réduits au minimum. Je peux vous garantir que les marchandises arriveront en parfait état.

Mme Gaspart—Je sais que nous sommes couverts par l'assurance mais c'est le temps, l'énergie et le manque à gagner qu'entraîne le renvoi de marchandises endommagées . . .

Mr Reynolds —Je suis tout à fait d'accord avec vous. Bon, je vois qu'il est presque temps que je me rende à l'aéroport. S'il reste d'autres points à éclaircir, je me tiens à votre entière disposition. Demain à 9h je serai dans mon bureau.

Mme Gaspart—Très bien, je vous remercie. Au revoir et merci encore pour le déjeuner.

Mr Reynolds —Je vous en prie. A très bientôt au téléphone, au revoir.

Vocabulaire

aborder une question, un sujet, *to bring up, tackle a question, subject*
faire de la publicité (pour), *to advertise*
un produit, *a product*
une campagne, *a campaign*
une annonce publicitaire, *an advertisement*
un film/spot publicitaire, *a commercial*
un support publicitaire, *advertising medium*
les frais publicitaires (m pl), *advertising costs*
un exemplaire, *a copy*
à l'échelon national, *on a national scale*
répartir, *to divide up*
une affiche, *a poster*
l'affichage (m), *poster advertising*
(s') implanter, *to establish, set up*
à notre compte/à nos frais/à notre charge, *paid for by us, at our expense*
la formation, *training*
former quelqu'un, *to train someone*
un congé de formation, *training leave*
motiver, *to motivate*
la motivation, *motivation*
familiariser, *to make familiar with*
impliquer, *to imply*
prendre note, *to take note*

l'emballage (m), *packaging*
le fini, *finish*
exigeant, *demanding*
se faire du souci, *to worry*
un transitaire, *shipper, forwarding agent*
concevoir (conçu), *to design (designed)*
étanche, *waterproof*
la manutention, *handling*
en bon/mauvais état, *in good/bad condition*
endommager, *to damage*
les dommages (m pl)/les avaries (f pl), *damages*
le manque à gagner, *loss of earnings*
le renvoi, *return*
se tenir à la disposition de quelqu'un, *to be available for someone*
à mon avis, *in my opinion*
en ce qui me concerne, *as far as I'm concerned*
quant à moi, *as for me*

Exercises

Exercise 1: **Avez-vous bien compris?**
Essayez de répondre aux questions suivantes:

1 Comment se fait la publicité de la Société Meublat?

2 Comment se fait la publicité à l'échelon local?

3 M. Reynolds devra-t-il participer aux frais de publicité?

4 Que propose M. Reynolds à Mme Gaspart?

5 Quand Mme Gaspart espère-t-elle lancer la gamme de meubles anglais?

6 Quels sont les facteurs qui vont déterminer la date de la journée de formation?

7 Qui se charge de l'emballage des meubles anglais?

8 Quel type d'emballage utilise le transitaire?

9 Pourquoi Mme Gaspart insiste-t-elle si lourdement sur le conditionnement des meubles?

10 Pourquoi M. Reynolds doit-il prendre congé de Mme Gaspart?

Exercise 2: **Comment diriez-vous en français?**

1 I'd like to tackle the question of advertising.

2 Is our brand name well known in France?

3 We advertise in magazines and the local papers.

4 The suppliers share the advertising costs.

5 We can organise a training day for your sales force.

6 When are you thinking of launching the campaign?

7 This date does not suit me at all.

8 You need not worry.

9 All damaged goods will be sent back to you.

10 We want to avoid loss of earnings.

11 Our forwarding agent only uses strong, waterproof packaging.

Exercise 3: Practise – Il faudrait que + subjunctive

Example

I say:	*You say:*
Nous devrions lancer une campagne publicitaire	Oui, il faudrait que vous lanciez une campagne publicitaire.

—Il devrait faire de la publicité à la télé. (il)

—Je devrais prendre une police d'assurance. (vous)

—Vous devriez vendre sous votre propre marque. (nous)

—Nous devrions nous implanter à l'étranger. (vous)

—Je devrais organiser une journée de formation. (tu)

—Vous devriez fournir des photos récentes. (je)

Exercise 4: Practise – indirect speech

Example

I say:	*You say:*
Est-ce que le transport est compris?	Il a demandé si le transport était compris.

—Est-ce que l'emballage est spécialement conçu pour les meubles?

—Y a-t-il d'autres points à éclaircir?

—Allez-vous renvoyer les marchandises? (on)

—Faites-vous de la pub à la télé? (on)

—Pouvez-vous participer aux frais? (nous)

Aural Comprehension

Listen to the negotiations between the advertising manager of the magazine *7 à Paris* and the account manager for "Johnny Walter" whisky. Make a summary of the main points.

Vocabulary

interlocuteur (m),	*person one is talking to*
branché (e),	*modern, trendy, with it*
rehausser,	*to upgrade*
cahier (m),	*technical term for the first 6 pages of a magazine*
recto,	*right-hand side*
se faire taper sur les doigts,	*to have one's knuckles rapped*
couper la poire en deux,	*to meet half-way*
visuel (m),	*artwork*
majoration	*increase in price*

Written Comprehension

La Publicité

La pub omniprésente amuse, choque, séduit, distrait, fascine, si l'on en croit les sondages où elle se remet en question. Mais d'abord, il faudrait rappeler que la publicité est aussi une industrie. Des milliers de personnes, au sein de leurs entreprises ou dans les sept cents agences françaises de publicité, travaillent à nous allécher, nous faire rêver ou nous agacer dans les magazines, sur les affiches, à la radio et à la télé. Les investissements dans la publicité représentent des milliards et ce chiffre est en constante augmentation.

Autant dire qu'il ne faut pas aborder à la légère la publicité en France, surtout devant ceux qui y travaillent.

Les publicitaires se sont créé une image. Ils sont jeunes, ou le croient, habillés chic mais moderne, ils sont à la mode et ils parlent beaucoup, surtout d'eux. Ils gagnent beaucoup d'argent et leur salaire est un indice de satisfaction. Ils ont beaucoup d'humour au bureau mais le perdent dès qu'on remet en question l'efficacité de leur travail.

Ils parlent une langue où les mots français permettent seulement d'enchaîner les expressions anglo-saxonnes. Ils ont des stars et leurs faits de gloire.

Ce sont des hommes, dans 80% des cas, même si une agence avec deux femmes à sa tête a réussi à se tailler une place sur le marché. Ils récitent par coeur la liste des agences qui accaparent les plus gros clients.

La principale préoccupation de l'industrie est économique, en raison de l'évolution des supports. En 1968, c'est la presse écrite qui attirait le plus la publicité avec 77% des investissements. En 1983, elle n'en obtient plus que 60%. La radio est stable, mais la "publicité extérieure" – campagnes d'affiches – ne cesse de grimper. L'affiche reste indispensable à beaucoup de produits, comme l'automobile ou les grandes surfaces. Mais c'est bien évidemment la télévision qui a modifié, en profondeur, cette répartition. Elle ne représentait que 2% de l'enveloppe publicitaire dans les années 60. Economiquement importante, la pub est devenue un élément de la vie quotidienne, du paysage. Dans la rue, dans les conversations, dans les titres de journaux, elle ramasse les modes, les courants, les agitations de la société. Puis les utilise pour nous les offrir à tous.

Questions

1 Démontrez que la publicité est une industrie importante.
2 Faites un portrait du publicitaire typique.
3 Evaluez l'importance des différents supports publicitaires.
4 Commentez: "La publicité allèche, fait rêver ou agace."

Tasks

Task 1
Mr Reynolds sends a telex to Mme Gaspart offering three possible dates in September, the 6th, 9th or 13th, for the training session for her store managers. He asks how many managers would be attending per session and if he should deal with the travel arrangements. If so, would she send details of their departure point. Write the telex.

Task 2
Mme Gaspart informs Mr Reynolds by phone or by telex of what was decided at the board meeting.

—the English range will be sold in 5 shops to start with: Paris, Lyon, Tours, Bordeaux, Rouen.

—the five store managers concerned will be going to England on 9th September for the training session. They'll all be travelling from Paris.

She will deal with the travel arrangements. She wants to know at what time the training session will start and end.

Make the phone call or write the telex.

***Task 3:* Oral or Written Summary**
Your company wants to import a new range of biscuits. You have come across the following article on the Biscuiterie du Blavet in a French daily newspaper. Their products seem very interesting so you decide to brief the Purchasing Manager about the company.

Biscuiterie du Blavet (Plounévez-Quintin)

Deux armes sûres : qualité et esthétique

Il est des produits qui se confondent avec toute une région. La biscuiterie bretonne représente à elle seule toute une tradition, tout un savoir-faire. Implantée dans le petit bourg de Plounévez-Quintin, dans les Côtes d'Armor, la biscuiterie du Blavet Daniel Gouédard, est l'une de ces nombreuses entreprises bretonnes à fabriquer quotidiennement galettes et palets qui trouvent de si nombreux amateurs.

LA biscuiterie du Blavet trouve ses origines en 1946. L'homme qui en est aujourd'hui l'héritier, n'est autre que le fils du fondateur, enfant du pays. Sa femme quant à elle, est issue d'une famille de minotiers qui remonte au début du 19ème siècle.

Electricien de formation, Daniel Gouédard décide un jour de se lancer dans l'entreprise familiale. Dix ans de formation sur le tas, solidement épaulé par le père; une formation de patissier, il prend la direction en 1973. A la tête de 15 employés, il mène aujourd'hui l'affaire avec la même rigueur et la même exigence, produisant de 1,5 tonne à 3 tonnes de biscuits par jours.

L'emballage et la qualité.

Ici, le client est roi. Une clientèle directe (consommateurs, comités d'entreprise), ainsi que des grossistes et des grandes surfaces.

Tradition et constance ne semblent pas entraver le marché de l'avenir. Bien au contraire, il fait ici la force et la renommée de l'entreprise tout en confortant sa clientèle. Goût et recette sont les mêmes depuis de nombreuses années, et la concurrence n'effraie pas le chef d'entreprise, qui estime que « chacun ayant sa propre recette, chacun apporte ce petit quelque chose qui distinguera le biscuit d'un autre. Notre réputation se fait uniquement par le biais de salons, nous n'avons donc à faire qu'à des professionnels » confie t-il un rien fier.

Un critère est cependant essentiel dans l'entreprise de Plounévez-Qintin : l'esthétique. Un conditionnement de haut niveau graphique a ainsi permis à la Biscuiterie du Blavet, de recevoir simultanément en 1987, les premiers prix d'innovation Marketing Packaging des associations « Isogone » de Rennes (prix remis par Alain Madelin, ministre du Commerce et de l'Industrie du moment), et « Forum » de Brest la même année.

« On s'adapte au produit. On sort un nouvel emballage. La remise à jour se fait en fonction de l'expérience et de la clientèle », précise D. Gouédard. « On se démarque d'abord par l'emballage, puis par la qualité », poursuit-il. Le gros du travail est donc l'esthétique, l'emballage, avec renouveau continuel dans l'innovation. Peut-on dire alors sans se tromper « goût et art » chez Gouédard ?

Une exportation en pleine expansion

Cette politique de la qualité et de l'emballage a semble t-il bien réussi à l'entreprise qui connait depuis quelques années une envolée plus qu'enviable sur le marché. La politique est de créer des produits de plus haute gamme, l'ambition étant d'aller de plus en plus vers l'exportation, et d'atteindre à la fin de l'année un chiffre d'affaire en progression de 30%

En effet, distribuée dans toute la France, la biscuiterie fait aussi plus de 35% de son chiffre d'affaire à l'étranger. Sur ces 35%, 75% sont destinés à l'Angleterre, la Belgique, la Hollande, l'Allemagne, l'Italie, l'Espagne, la Grèce et les Etats-Unis, les 25% restant allant au Japon, alors que l'exportation dans ce pays ne date que de 1987.

« La démarche de la maison est d'aller voir le client, et de faire le produit qui lui convient le mieux. La demande est directe, et nous travaillons avec une société pour l'export qui possède une structure adaptée », explique le chef d'entreprise.

Belle évolution, quand on sait qu'en 1983, l'entreprise se destinait à 100% aux comités d'entreprise, contre 10% seulement aujourd'hui.

L'entreprise peut en outre se targuer d'un exploit. En octobre 1986 à Paris, lors de son premier salon, le Salon international de l'agro-alimentaire (SIAL), elle a réussi, à l'unanimité, à mettre d'accord nos membres du gouvernement... Tous s'accordèrent en effet à reconnaître la saveur de ces petits gateaux bretons. Pas mal, non ?

Patricia Perny
Ouest France

Oral Summative Assignment

After her meeting with Mr Reynolds, Mme Gaspart meets her Managing Director to bring him up to date on progress so far.
She covers the following points:

—her meeting with Mr Reynolds in the restaurant

—the details of the order she is placing – the specific articles she has chosen and why

—the prices agreed on

—the delivery and payment terms

—advertising

—packaging and transport

—future training sessions planned

Play the part of Mme Gaspart.

Documents

EXAMPLE OF FRENCH FINANCIAL ACCOUNTS

Bilan au . . . .
(Balance sheet at . . . . . .)

Actif
(Assets)

	Montant brut (Gross amount)	Amortissements ou provisions pour dépréciations (Depreciation)	Montant net (Net amount)
FRAIS D'ETABLISSEMENT (DEFERRED CHARGES)			
Primes de remboursement des obligations (Redemption premium)	–	–	–
Autres frais d'établissement (Other deferred charges)	–	–	–
IMMOBILISATIONS (FIXED ASSETS)			
Terrains (Land)	–	–	–
Constructions (Buildings)	–	–	–
Matériel et outillage	–	–	–
(Machinery and tools)	–	–	–
Matériel de transport	–	–	–
(Transportation equipment)	–	–	–
Mobilier, aménagements, installations	–	–	–
(Furniture and fixtures)	–	–	–
Immobilisations incorporelles (Intangibles)	–	–	–
Autres immobilisations (Others)	–	–	–
AUTRES VALEURS IMMOBILISEES (OTHER NON-CURRENT ASSETS)			
Prêts à plus d'un an (Long-term receivables)	–	–	–
Titres de participation (Investments)	–	–	–
Dépôts et cautionnements (Guarantee deposits)	–	–	–
VALEURS D'EXPLOITATION (INVENTORY)			
Marchandises (Merchandise)	–	–	–
Matières premières et fournitures	–	–	–
(Raw materials and supplies)	–	–	–
Produits semi-ouvrés (Work in progress)	–	–	–
Produits finis (Finished goods)	–	–	–
Emballages commerciaux (Packing materials)	–	–	–
VALEURS REALISABLES A COURT TERME OU DISPONIBLES (CURRENT ASSETS OTHER THAN INVENTORY)			
Fournisseurs-avances et acomptes sur commandes (Advances to suppliers)	–	–	–
Clients (Accounts receivable)	–	–	–
Autres débiteurs (Other receivables)	–	–	–
Comptes de régularisation-actif (Prepaid expenses)	–	–	–
Prêts à moins d'un an (Short-term loans receivable)	–	–	–
Effets à recevoir (Notes receivable)	–	–	–
Chèques et effets à encaisser (Cheques and notes to be collected)	–	–	–
Titres de placement (Marketable securities)	–	–	–
Banques et chèques postaux (Cash at bank)	–	–	–
Caisses (Cash in hand)	–	–	–
Total de l'actif (Total assets)	–	–	–
Montant des engagements reçus (Amount of commitments received)			–

Passif
(Liabilities)

	Avant répartition (Before distribution)	Après répartition (After distribution)
CAPITAL PROPRE ET RESERVES (CAPITAL AND RESERVES)		
Capital social (Capital)	–	–
Primes d'émission d'actions (Premium on shares)	–	–
Réserve légale (Legal reserve)	–	–
Autres réserves (Other reserves)	–	–
REPORT A NOUVEAU (RETAINED EARNINGS)		
Situation nette (avant résultats de l'exercise) (Total reserves and retained earnings before net earnings for the year – which are shown at the foot of the page)	–	–
PROVISIONS POUR PERTES ET CHARGES (PROVISION FOR LOSSES AND EXPENSES)		
Provisions pour risques (Provisions for contingencies)	–	–
Provisions pour charges à répartir sur plusieurs exercises Provisions for expenses to be spread over several years)		
DETTES A LONG ET MOYEN TERMES (LONG-TERM AND MEDIUM-TERM DEBTS)		
Obligations et bons à plus d'un an (Bonds and notes)	–	–
Autres dettes à plus d'un an (Other long-term debts)	–	–
DETTES A COURT TERME (CURRENT LIABILITIES)		
Fournisseurs (Accounts payable)	–	–
Clients – Avances et accomptes reçus (Customer's advances)	–	–
Comptes courants d'associés (Accounts payable to associates)	–	–
Versements restant à effectuer sur titres de participation non libérés (Investments – not yet paid)	–	–
Autres créanciers (Other accounts payable)	–	–
Comptes de régularisation – Passif (Accrued expenses and deferred credits)	–	–
Obligations et bons à moins d'un an (Bonds due within one year)	–	–
Autres emprunts à moins d'un an (Other loans due within one year)	–	–
Effets à payer (Notes payable)	–	–
RESULTATS (NET EARNINGS)		
Bénefice de l'exercice (Net earnings for the year)	–	–
Total du passif (Total liabilities)	–	–
Montant des engagements donnés (Amount of commitments given)		–

Annexe 18

CONTRAT D'ADAPTATION A UN EMPLOI (A UN TYPE D'EMPLOI)

(contrat de type particulier à durée déterminée ou indéterminée) (1)

---

(1) formulaire proposé en exemple aux parties contractantes. Cet exemple se limite aux seules clauses régissant obligatoirement la mesure. Il peut être complété à l'initiative des co-contractants ou en vertu d'autres prescriptions du droit du travail.

Entre l'entreprise ________________________________
adresse ________________________________ dont le siège social
est à ________________________________ , ci-après désignée
l'entreprise;
représentée par M ________________________________

d'une part

et

M ________________________________ ,né le ____________
demeurant à ________________________________
ayant la formation suivante ________________________________
(préciser: diplômes obtenus, niveau de fin d'études ou activité professionnelle antérieurement exercée les cas échéant),

Il a été convenu ce qui suit:

ARTICLE 1er:

L'entreprise ____________________ engage M ____________________
qui accepte l'emploi proposé de ________________________________
(formule alternative: le type d'emploi proposé)
(préciser la qualification du (des) poste(s) de travail proposé(s)).

ARTICLE 2:

Le présent contrat est conclu en application de l'article L 980-6 du code du travail et du décret n° 84-1057 du 30 nov. 1984 relatif au contrat d'adaptation à un emploi ou type d'emploi.

L'objet du présent contrat est d'adapter M ________________________________
à un emploi (à un type d'emploi) de ____________________ en lui assurant une formation selon un plan défini pendant le temps de son activité en entreprise.

L'entreprise ____________________ s'engage à déposer le présent contrat dès sa signature auprès de la Direction Départementale du Travail et de l'Emploi de________________________________

ARTICLE 3:

Le présent contrat est conclu pour une durée de ______ mois (12 au minimum).
Il débutera le ____________________ et prendra fin le ____________________
(formule alternative: le présent contrat est conclu pour une durée indeterminée. Dans ce cas, la période d'adaptation à l'emploi – au type d'emploi – comportant une formation prendra fin le ________________________________).

Clause facultative:

Le présent contrat comporte une période d'essai de ____________________
(1 mois maximum).

ARTICLE 4:

Les travaux accomplis dans l'entreprise par M ______________
s'effectueront à ______________(préciser le lieu de l'activité) et au poste de travail
(libellé en clair) ______________
(si adaptation à un type d'emploi: préciser les postes de travail proposés).
Tout au long de ces travaux, M ______________sera suivi par un tuteur: M ______________, qualification: ______________

Le rôle du tuteur est d'accueillir et de guider M ______________ dans son plan de formation, en relation avec l'emploi (le type d'emploi) exercé.

ARTICLE 5:

M ______________ s'engage à suivre la formation, décrite ci-après, assurée sous la responsabilité de l'entreprise: ______________

—objet ______________

—durée totale de la formation mentionnée aux articles 2 et 3 ci-dessus: ______________ heures (au minimum 200 heures).

Elle se répartit entre:

durée de la formation théorique: ______________ heures en organisme de formation ou assurée par le service de la formation de l'entreprise;

Si l'organisme de formation est extérieur à l'entreprise:

—désignation: ______________

—lieu: ______________

durée de la formation pratique (au poste de travail): ______________ heures.

ARTICLE 6: rémunération (contrat à durée déterminée)

M ______________ perçoit pendant la durée du contrat la rémunération suivante ______________F (au moins 80% du salaire minimum conventionnel, sans être inférieure au SMIC).

ARTICLE 6 bis: rémunération (contrat à durée determinée)

M ______________perçoit ______________

—pendant la période d'adaptation à l'emploi (au type d'emploi) mentionnée à l'article 3 le salaire de ____ F (au moins 80% du salaire minimum conventionnel, sous réserve de l'application du SMIC*).

—au delà de la période d'adaptation à l'emploi (au type d'emploi):
le salaire de: ______________ F (salaire normal dans l'entreprise pour l'emploi ou le type d'emploi occupé).

ARTICLE 7:

La durée hebdomadaire de l'activité de M ______________
y compris le temps passé en formation ne peut dépasser la durée habituelle du travail dans l'entreprise, soit: ______________ h/semaine.

ARTICLE 8: (si le contrat est à durée déterminée)

Le présent contrat n'est pas renouvelable. A la demande écrite par lettre recommandée avec demande d'avis de réception de M ____ (salarié) ______________, l'employeur doit lui notifier, au moins 1 mois avant l'expiration du terme du contrat, son intention de prolonger ou non les relations contractuelles au delà du terme.

Fait à ______________ le ______________
signatures

Pour l'entreprise

M ______________ M ______________
(salarié) (Nom et qualités)
(nom)

* SMIC: Salaire Minimum Interprofessionnel de Croissance (minimum wage)

CURRICULUM VITAE

Paul DURAND
Né le 06.07.59
34, rue des Acacias
75004 PARIS
Tél: 45 88 92 37 RECHERCHE POSTE DE RESPONSABLE DE PROJET MARKETING

Célibataire

FORMATION

1979/80 Préparation ESCAE Bordeaux

1980/85 EUROPEAN BUSINESS SCHOOL – Option marketing
Une année passée à l'étranger:
–1 semestre à City University of London
–1 semestre à l'Icade de Madrid

STAGES

1980/81 CII HONEYWELL BULL (Paris):
un mois au département gestion

1981/82 CII HONEYWELL BULL (Madrid):
deux mois au service marketing international

1983/84 A2 PROMOTION (Paris):
stage merchandising (un mois). Ai collaboré avec les ingénieurs conseils à l'étude d'une campagne montée pour les cafés Jacques Vabre pour le réseau d'hypers du sud de la France.

EXPERIENCE PROFESSIONNELLE

1984/86 ADS (Advertising Data System):
Conseil marketing
Ai commercialisé une banque de données publicitaires sur vidéo-disque interactif: prospection, vente et suivi des clients. Ai ensuite étudié et développé de nouveaux produits d'ADS.

LANGUES

Anglais: diplôme de la Chambre de Commerce et d'Industrie de Londres

Espagnol: courant

Correspondence

Useful Phrases

Acknowledgement
Nous avons bien reçu votre lettre . . .
Nous accusons réception de . . .
Nous vous remercions de . . .
Comme suite à . . .
En réponse à . . .

Enclosures
Nous vous adressons ci-joint (ci-inclus)
Vous trouverez ci-joint (ci-inclus)
Veuillez trouver ci-joint

Requests
Veuillez . . .
Nous vous prions de . . .
Nous vous prions de bien vouloir . . .
Nous vous serions reconnaissants de . . .
Veuillez avoir l'obligeance de . . .

Expressions of Pleasure
Nous avons le plaisir de . . .
C'est avec plaisir que . . .
Nous nous ferons un plaisir de . . .

Expressions of Regret
Nous regrettons de . . .
Nous sommes au regret de . . .
Nous regrettons que (+ *subj.*) . . .
Nous sommes au regret que (+ *subj.*) . . .
Nous sommes désolés que (+ *subj.*) . . .
C'est avec regret que (+ *ind.*)

Endings
Veuillez agréer, Monsieur, l'expression de mes sentiments distingués
Veuillez agréer, Monsieur, mes salutations distinguées
Veuillez agréer, Monsieur, l'expression de nos sentiments dévoués

Les Départements

La France est divisée en 95 divisions administratives appelés DEPARTEMENTS. Chaque département porte un nom et un numéro. La ville principale du département est le siège du gouvernement local.

Le numéro du département est d'autant plus important qu'il constitute les deux premiers chiffres du *code postal:*

ex: Madame . . . . . .
4 rue du Paradis
50700 VALOGNES

En examinant le code postal vous saurez que la lettre vient du département *LA MANCHE* qui porte le numéro *50.*

Lettre No. 1

Translate the following letter into English.

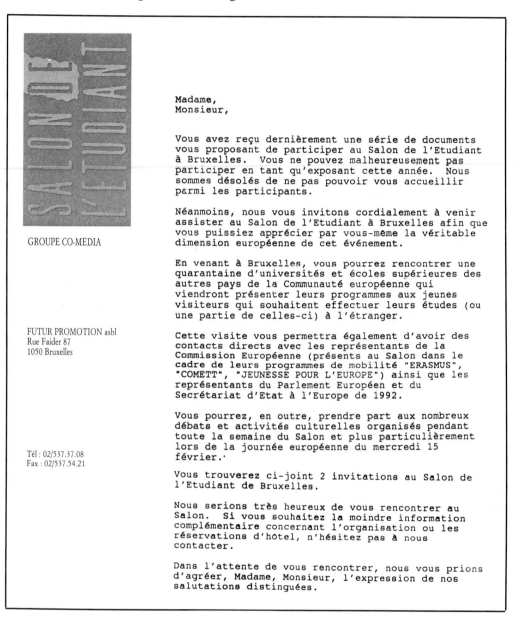

GROUPE CO-MEDIA

Madame,
Monsieur,

Vous avez reçu dernièrement une série de documents vous proposant de participer au Salon de l'Etudiant à Bruxelles. Vous ne pouvez malheureusement pas participer en tant qu'exposant cette année. Nous sommes désolés de ne pas pouvoir vous accueillir parmi les participants.

Néanmoins, nous vous invitons cordialement à venir assister au Salon de l'Etudiant à Bruxelles afin que vous puissiez apprécier par vous-même la véritable dimension européenne de cet événement.

En venant à Bruxelles, vous pourrez rencontrer une quarantaine d'universités et écoles supérieures des autres pays de la Communauté européenne qui viendront présenter leurs programmes aux jeunes visiteurs qui souhaitent effectuer leurs études (ou une partie de celles-ci) à l'étranger.

Cette visite vous permettra également d'avoir des contacts directs avec les représentants de la Commission Européenne (présents au Salon dans le cadre de leurs programmes de mobilité "ERASMUS", "COMETT", "JEUNESSE POUR L'EUROPE") ainsi que les représentants du Parlement Européen et du Secrétariat d'Etat à l'Europe de 1992.

Vous pourrez, en outre, prendre part aux nombreux débats et activités culturelles organisés pendant toute la semaine du Salon et plus particulièrement lors de la journée européenne du mercredi 15 février.

Vous trouverez ci-joint 2 invitations au Salon de l'Etudiant de Bruxelles.

Nous serions très heureux de vous rencontrer au Salon. Si vous souhaitez la moindre information complémentaire concernant l'organisation ou les réservations d'hôtel, n'hésitez pas à nous contacter.

Dans l'attente de vous rencontrer, nous vous prions d'agréer, Madame, Monsieur, l'expression de nos salutations distinguées.

FUTUR PROMOTION asbl
Rue Faider 87
1050 Bruxelles

Tél : 02/537.37.08
Fax : 02/537.54.21

Lettre No. 2

Translate the following letter into English.

Hotels, Inns & Resorts Worldwide
The hospitality people of IT

89, boulevard Haussmann, 75008 PARIS – France
Téléphone (1) 42.68.18.60
Télex 650 053

Paris, le 28 Février 199–

Madame, Monsieur,
Nous souhaitons une nouvelle fois vous remercier de votre confiance en notre chaine ainsi que votre collaboration durant 199–. Nous espérons que cette nouvelle année renforcera nos liens de coopération.
Dans cet objectif, nous avons pensé qu'il serait profitable de refaire la mise à jour de notre fichier. C'est pourquoi, nous avons joint à ce présent envoi un questionnaire que nous vous demandons de remplir de façon la plus précise.
Pour tous renseignements ou réservations individuelles, nous demandons de joindre notre Service de Réservation International par le numéro gratuit suivant: 19 05 90 76 35
Quant à vos demandes de groupes, notre bureau reste à votre disposition pour toutes demandes d'information et quotation.
En attendant de vous revoir prochainement, nous vous prions de recevoir, Madame, Monsieur, l'expression de notre considération distinguée.

La Direction Commerciale

Lettre No. 3

Translate the following letter into English.

REIMS, le 11 janvier 19 DC
29, rue du Champ de Mars
B.P.2712 51053 REIMS CEDEX
Tél. 26 40 22 73
Telex: 830001
Télécopie: 26.40.46.13

Miss M
25 Green Street
HIGH WYCOMBE, Bucks. HP11 2RA
Grand-Bretagne

Mademoiselle,

Nous vous remercions de votre lettre du 13 décembre et vous prions de bien vouloir excuser le retard apporté à y répondre, en raison des fêtes de fin d'année.

Nous vous joignons, comme demandé, quelques documents qui vous permettront de faire connaissance avec notre Société.

En ce qui concerne votre hébergement durant le temps de votre stage, nous avons le plaisir de vous informer que nous pourrons vous accueillir dans le logement que nous réservons aux hôtesses que nous employons pendant la saison d'été dans notre service Visites. Ce logement sera mis gracieusement à votre disposition.

Nous vous remercions de bien vouloir nous faire connaître à l'avance le jour et l'heure exacts de votre arrivée à Reims, afin que nous puissions prendre toutes dispositions à cet égard.

Nous vous en remercions à l'avance et nous vous prions d'agréer, Mademoiselle, nos salutations distinguées.

Directeur Exportation

Lettre No. 4

Translate the following letter into English.

Générale de Confiserie de Distribution

7, rue Nobel
NOUMEA
Nouvelle-Calédonie

Thornhill Confectionery Ltd
Somerset Industrial Estate
St Helens
Merseyside
Angleterre

Nos Réf: 247/GV/JCD
Vos Réf: PC/PS

Nouméa, le 16 juin 199-

A l'attention de Monsieur P. Clarke

Monsieur,

Nous avons bien reçu votre lettre du 4 juin 199-, et nous serions intéressés par l'achat de votre produit GOLDEN NUTBAR.

Nous avons noté que vous exigiez un minimum de commande de £2000 mais nous ne connaissons pas vos produits. Nous souhaiterions dans une première commande examiner la réaction des clients et la conservation de vos produits sur le Territoire de la Nouvelle-Calédonie.

Vous voudrez bien nous expédier dans ce cas 10 cartons de GOLDEN NUTBAR (Kent) 24 × 10.

Notre transitaire est EUROTRANSPORT à DUNKERQUE BP 3181, 59377 DUNKERQUE, TLX 160828 FRANCE, qui prendra contact avec vous pour l'expédition au départ de Londres. Paiement contre remise des documents à notre banque la SOCIETE GENERALE, BP G 2, Agence de Ducos, Nouméa cedex, Nouvelle-Calédonie.

Dans cette attente,

Nous vous prions de croire, Monsieur, en l'assurance de nos salutations distinguées.

Le Gérant

J. C. Duchêne

Lettre No. 5

Translate the following letter into English.

Mademoiselle . . .
165 Rue Petit
94550 CHEVILLY LARVE

Gentilly, le 26 mars 199–.

Mademoiselle,

Nous accusons réception de votre lettre par laquelle vous nous informez de votre démission du poste que vous occupez dans la Société à compter du 9 mars 199–

Conformément à votre contrat, votre période de préavis est de UN MOIS, toutefois, selon notre accord, nous vous autorisons à cumuler partiellement vos heures de recherche d'emploi en fin de préavis.

Vous serez libre de tout engagement le vendredi 3 avril 199–.

Nous vous prions d'agréer, Mademoiselle, l'expression de nos sentiments distingués.

Contrôleur Financier

Lettre No. 6

Translate the following letter into English.

MCO RIVA
16 rue Lardau
75005 PARIS

Gentilly, le 7 avril 199–

Monsieur,
Nous sommes étonnés de ne pas avoir reçu le retour de notre traite correspondant à notre facture No 1111 du 18/03/9– pour un montant de FF 93 000,77, comme nous vous le demandions dans notre précédent courrier.

Sans exiger comme le fait le code du commerce, le retour de notre traite sous 48 heures, nous vous demandons de bien vouloir retourner la traite par retour de courrier.

Dans le cas contraire, nous serions contraints de remettre votre dossier à notre service du contentieux.

Nous espérons ne pas devoir en arriver à cette extrémité et pouvoir conserver avec vous des relations commerciales normales.

Nous vous prions d'agréer, Monsieur, l'expression de nos salutations distinguées.

Service Administration
des Ventes

Lettres No. 7 et 8

The letters below were written in response to the following job advertisement:

"RADIAL recherche ADJOINT AU RESPONSABLE administration ventes exportation
– Formation BTS commerce international
– expérience souhaitée"

Translate the letters into English.

Paris, le 7 juin 199–

Messieurs,

Suite à votre offre d'emploi parue dans "Le Monde" du 3 mai, je vous adresse ci-joint mon curriculum vitae.
Comme vous pouvez le constater j'ai effectué un stage de 3 mois dans une entreprise industrielle travaillant également dans le domaine de l'exportation de composants électroniques. J'ai pu au cours de ce stage me familiariser avec les procédures douanières, les modes de paiement et d'expédition internationaux.

Dans l'attente d'un entretien avec vous,

Je vous prie de croire en l'assurance de ma considération.

Paris, le 10 juin 199–

Messieurs,

Je m'adresse à votre société car j'ai appris que vous aviez un département marketing assez important.

Pour ma part, j'ai réalisé une étude de marché pour la compagnie d'assurances GAN, exploitée ensuite par celle-ci comme pré-test (voir C.V. joint).

Je serais heureuse de vous en parler à l'occasion d'un entretien.

Dans cette attente, veuillez croire, Messieurs, à l'expression de mes sentiments distingués.

Lettre No. 9

Translate the following letter into French.

ROTRONICS AG
Badenerstrasse 435
POSTFACH 8040 ZURICH
Suisse

Gentilly, 17 March 199–

Dear Mr

In reply to your telex 5380 of February 20th, please find enclosed the document concerning the modem and the PC that we have just launched in France.

The price for end-users is US $785 for the 2212 model, and US $890 for the 2412 model. For our dealers, we have a price discount of about 50%. These prices include manuals and packing, and FOB Paris. Several softs can be sold with the card at FF 600, for each copy and documentation.

We would be interested in having a distributor in Switzerland for this product. Please let us know if you are interested.

Looking forward to hearing from you.

Yours sincerely

Sales Export Manager

Assignments

Assignment 1 *Acheter en France*

Michel Caugant LA NOUVELLE CHARCUTERIE

Fils d'un charcutier de Rosporden et charcutier lui-même, Michel Caugant a fondé en 1967 la société actuelle.
Installée à Rosporden (Finistère sud), la Société Michel Caugant s'est taillé une place de choix sur le marché « charcuterie-traiteur ».
Elle produit 8 000 tonnes annuelles et se situe au 15ᵉ rang, en volume, de cette branche professionnelle qui recense 550 entreprises. Son C.A. a été de 250 MF en 1988, en progression de 20 % sur 1987. Il est réalisé pour 15 % à l'export.

Michel Caugant fait bouger la tradition

Depuis 2 ans, Michel Caugant a recentré son activité autour d'une marque alliant tradition et modernité et évoquant fiabilité et dynamisme : MICHEL CAUGANT, LA NOUVELLE CHARCUTERIE®. Fiabilité avec le nom même de Michel Caugant, caution du savoir-faire charcutier français de qualité. Dynamisme, car LA NOUVELLE CHARCUTERIE® **traduit le souci de renouveler sans cesse cette tradition charcutière** pour l'adapter aux besoins des consommateurs modernes.
Leur mode de vie s'est en effet complètement transformé. Leurs repas, pris hors foyer ou à leur domicile, ont changé de structure et de contenu. Accompagner cette évolution est donc l'objectif de Michel Caugant, notamment en matière de produits « traiteur », dans le prolongement logique de son savoir-faire charcutier.

C'est ainsi qu'il a mis sur le marché des salades préparées, prêtes à être consommées et commercialisées sous le nom LES REPAS SALADES®. Salades de crudités ou salades composées, elles sont disponibles soit en barquettes libre-service, sous atmosphère modifiée (DLC 12 jours, départ usine – 150/180 g pour une personne, ou 250/300 g pour 2 à 3 personnes) soit en recharges à détailler aux rayons traditionnels ou en restauration (DLC 15 jours, départ usine). La gamme comporte actuellement 20 recettes dont certaines sont issues de l'expérience charcutière de l'entreprise telles la « bretonne aux lardons », le « museau aux pommes de terre », le « jambon aux pointes d'asperges » etc.

Il s'agit là d'une **innovation qui perpétue la tradition,** puisque le traditionnel « plat cuisiné à emporter » est né chez les charcutiers.
Sur tous les autres produits de charcuterie, une approche similaire permet à Michel Caugant d'être à la pointe de l'innovation.
Ainsi sur le segment des saucisses à griller, Michel Caugant, spécialiste des grillades en Libre-Service occupe la 1ʳᵉ place avec « PLEIN FEU ». Présentées préemballées sous vide, ces saucisses sont fabriquées selon une technique moderne : sans boyau, elles cuisent plus rapidement, sont plus tendres et moins grasses. Elles bénéficient d'une DLC de 21 jours. La gamme « PLEIN FEU » comprend aussi bien des saucisses qui se consomment toute l'année (chipolatas, saucisses type Toulouse) que des spécialités à forte demande estivale (brochettes, merguez).

- Sur le segment des jambons cuits et viandes cuites de salaison, Michel Caugant a recentré sa production sur **la qualité supérieure au service du plaisir et de l'équilibre,** avec une gamme pour le rayon LS et une pour le rayon traditionnel.
- Qualité supérieure encore, en ce qui concerne la gamme des « pâtés » construite autour de trois axes :

– la tradition au service des gourmets (avec 2 nouvelles spécialités pour la gamme coupe).

– la tradition au quotidien (avec la caution du Label Rouge).

– la tradition au goût du jour : pâtés Equilibre à 300 calories maximum, avec un nouveau slogan : LE JUSTE ÉQUILIBRE ENTRE SAVEUR ET LÉGÈRETÉ®.
Enfin, en matière de rillettes, Michel Caugant dynamise désormais son savoir-faire traditionnel acquis sur le site du Mans, par l'utilisation d'un matériel ultramoderne, issu des technologies les plus avancées. Il s'agit de la seule unité française de fabrication de rillettes entièrement automatisée.

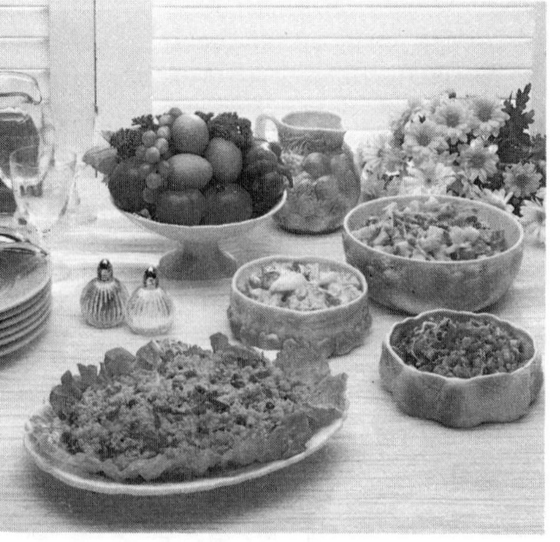

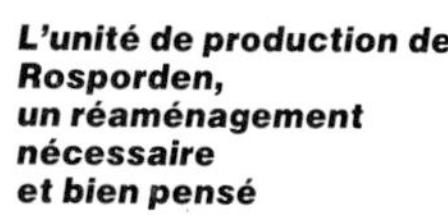

L'unité de production de Rosporden, un réaménagement nécessaire et bien pensé

Entreprise à dimension humaine, confrontée à la concurrence des géants du Food et bien déterminée à étendre sa pénétration dans la distribution moderne et la restauration sous toutes ses formes, la Société Michel Caugant est déjà **présente dans plus de 300 hypermarchés en France,** dans la quasi totalité des enseignes GMS et gère plus de 50 rayons traiteurs, avec ses stands en magasins.
Dans la restauration, elle collabore avec les leaders de la restauration collective, en s'associant en particulier à la mise en place de nouvelles formules de restauration. Elle

est aussi très performante à l'export.
Titulaire de l'agrément américain (USDA), elle a de fortes relations commerciales avec la plupart des pays européens, en particulier RFA, Suède, Belgique, Espagne et Grande-Bretagne où elle a souscrit des contrats directs avec les chaînes Sainsbury et Waitrose. Elle exporte également en Australie.

Dans ce contexte, la Société Michel Caugant, en contrepoint d'une réflexion marketing très poussée, a procédé à un **total réaménagement de son outil de production,** avec pour objectifs :

• Grouper toutes ses activités en un lieu unique.

• Transformer et adapter ses équipements à la fabrication de produits à forte valeur ajoutée.

• Améliorer sa productivité.

L'investissement engagé n'a pas été mince : 20 millions de francs lourds, dont 10 pour les travaux de transformation (avec le concours du Service Entretien et Travaux Neufs) et 10 pour l'achat de matériels performants.

La nouvelle unité de production de Rosporden est actuellement opérationnelle sur 10 500 m². Sa capacité de production est désormais considérable. Elle peut par exemple traiter 1 800 tonnes de rillettes et plus de 3 000 tonnes de salades annuellement... L'accroissement immédiat de son taux de productivité est la 2ᵉ conséquence mesurable de ce réaménagement.
D'autres étapes sont prévues pour faire face aux besoins prospectifs de la Société.
Avec ce nouvel outil de travail, Michel Caugant peut assurer son développement en continuant à apporter à la distribution et aux consommateurs des produits à services multiples **tout en renforcant son image de marque, objectif désormais prioritaire.**

Une stratégie originale, fondée sur la culture et la philosophie de l'entreprise

• Conserver son identité et développer une image de marque dynamique,
• occuper des créneaux où il est possible d'affirmer son savoir-faire et de revendiquer un leadership,
• adapter son savoir-faire issu de la tradition aux nouveaux modes de vie des consommateurs,

tels sont les objectifs auxquels s'applique la stratégie d'entreprise de Michel Caugant.

Sa réflexion préalable s'alimente à deux sources :
– l'étude des marchés internationaux et en particulier européens où il est présent depuis 1970,
– l'étude des besoins de la distribution, de la RHF et des consommateurs français.
Dans le paysage actuel, les chances de succès d'une entreprise à caractère familial reposent sur la personnalité de son PDG et son pouvoir de décider et d'agir rapidement, sur la concentration géographique de ses services, sur la qualité de son personnel d'encadrement et ses possibilités permanentes de concertation.
Ces conditions étant remplies, **Michel Caugant détient trois clés essentielles de la réussite : mobilité, rapidité et souplesse d'intervention,** qui lui donnent un « plus », face aux géants de l'alimentaire.
Sous la conduite du Directeur Général présent aux côtés de Michel Caugant depuis 12 ans, le personnel d'encadrement, qui constitue l'ossature de la Société, est composé d'hommes et de femmes qui ont tous acquis expérience et culture d'entreprise au sein de groupes alimentaires leaders.

Une écoute permanente de la clientèle et du consommateur

L'osmose entre « commercial » et « production » permet à la Société Michel Caugant d'être très performante dans le service rendu à la distribution. Quelques exemples tirés de l'expérience quotidienne :
Télévente : 5 télévendeuses, en contact journalier avec chacun des clients français, assurent prise de commandes, animation commerciale, suivi/gestion des cadenciers clients.
Logistique : toute commande passée avant midi peut être livrée dans les 24 heures. (36 heures pour la Côte-d'Azur).
Réponse aux fluctuations saisonnières : grâce à un effort de flexibilité et au recours à un accroissement du personnel saisonnier de production (contrats d'avril à août et en fin d'année), les délais de livraison sont maintenus en période de pointe.
Contrôle qualité des produits : les 50 stands en magasins ont une double fonction commerciale et informative. Les réactions des consommateurs aux produits sont transmises chaque semaine et traitées ensuite par l'informatique. Des réunions hebdomadaires Production/Commercial permettent d'apporter une réponse immédiate aux questions posées.
La création des produits suit un processus d'une extrême rapidité, grâce à la concertation permanente Recherche et Développement/Marketing/Production/Achats. Ainsi, tous les mois, a lieu une réunion « MARTECH », permettant de faire le point sur l'état d'avancement des dossiers « produits ». **20 dossiers de développement sont traités en moyenne dans l'année** et Michel Caugant possède, en portefeuille, plusieurs projets de lancement prêts à entrer en réalisation à court ou moyen terme. Parallèlement, le service Recherche/Développement, étudie de nouveaux procédés de technologie et de conditionnement.
Enfin le laboratoire, intégré dans l'usine, analyse régulièrement les matières premières utilisées et les produits fabriqués.

Après ce tour d'horizon, on ne peut que miser sur l'avenir de Michel Caugant, dans la perspective du grand marché européen de 1993 grâce à une connaissance approfondie des marchés, une exploitation judicieuse de ses spécificités, une équipe d'encadrement expérimentée et homogène.

Déjà, ses produits sont solidement implantés dans les régions françaises et les résultats obtenus à l'export très prometteurs.
Gage d'un savoir-faire traditionnel au service de l'innovation, la signature MICHEL CAUGANT LA NOUVELLE CHARCUTERIE® est promise à un brillant avenir.

You are the buyer of cooked meats and delicatessen products for a large chain of supermarkets in Great Britain. You have seen the Caugant range of products at the "Salon International de l'Alimentation", and you want to investigate the possibility of doing business with them.

***Task 1:* Telephone Call**
Phone Monsieur Carnot, "administrateur des ventes" to make an appointment.

—Introduce yourself.

—Express the wish to meet him and visit his firm.

—Mention your visit to their stand at the Food Fair and show your interest in their products.

—Try to arrange an appointment for the following week, preferably Wednesday or Thursday.

—Express your pleasure at meeting him on the day agreed.

***Task 2:* Aural Comprehension**
You receive an answerphone message from Caugant. Translate it into English.

***Task 3:* Written Comprehension**
During your visit you have been given the latest brochure on Caugant. Write a summary under the following headings:

—history

—size

—range of products (chilled foods, B Q foods, delicatessen)

—markets

—marketing strategy

—keys to their success.

***Task 4:* Translation into French**
The chief buyer has asked you to translate the following letter.

Vocabulary

bowl,	un bol
vacuum packed,	emballé sous vide
commodity code,	numéro de référence
best before date,	date limite de consommation
consumer pâté,	boîte de pâté

Dear Mr Carnot,

Following our meeting of the 20th instant, I would like to confirm the following points concerning our requirements for the Christmas Pâté Bowl; they are as follows:-

1. Bowl design QES1 6 French soup bowl
2. Colour – green
3. Weight – 400g
4. Type of pâté – Crème de Foie
5. Quantity – 11,000 bowls at Christmas and a possible 1,000 bowls August/September
6. Vacuum packed, six units to a case
7. Each unit to have a label showing product name, country of origin, ingredients, weight, retail price and a 'best before' code.

   This label to be seen by . . . and approved at least four weeks before acceptance of product.
8. All cartons to carry a label showing product name, commodity code number and best before date.
9. Deliveries – two thirds of the order to be delivered to European Foods at Olney on Friday 9th December 19 . . ., the remaining third of the order to be delivered on Friday 16th December 19 . . . Deliveries to be made before mid-day. These dates to be confirmed.

Assuming that you agree to the conditions listed above, you may accept this letter as confirmation of our requirements for 11,000 bowls. I will confirm at a later date whether or not we shall require 1,000 bowls in August/September.

I should like to thank you for bringing Dominic Durham with you to our meeting last Friday.

Thanking you again.

Yours sincerely,

***Task 5:* Translation into English**

Translate the following telex into English.

345320
SANRYS 264241G
173 1129 *
CAUGT A 940726F

ROSPORDEN, LE 22.06.9.

A L'ATTENTION DE MONSIEUR THOMPSON

SUITE A NOTRE ENTRETIEN, NOUS VOUS INFORMONS DE NOTRE IMPOSSIBILITE DE VOUS FAIRE BENEFICIER DU TARIF VRAC POUR LA LIVRAISON DE NOTRE GAMME "SAUCISSERIE FRAICHEUR" PAQUETS DE 2,5 K SOUS VIDE.

CECI EST ESSENTIELLEMENT DU A NOTRE AUGMENTATION DU COÛT DE MAIN D'OEUVRE SUR CES PRODUITS PENDANT LA PERIODE D'ETE.

PAR CONTRE, NOUS MAINTENONS LE PROGRAMME DE PROMOTIONS PREALABLEMENT ETABLI SOIT:

— MOINS 9% SUR MERGUEZ EN JUILLET
— MOINS 9% SUR SAUCISSES AUX HERBES EN AOUT.

SINCERES SALUTATIONS

A BOURGEOIS

SOCIETE CAUGANT

* SANRYS 264241G
CAUGT A 940726F

Assignment 2 *Contrat Entre Fournisseur et Client*

You work in the Export Department of Multiwrap Ltd, a manufacturer of cling film and aluminium foil. You have just received an inquiry from TR France, a major distributor of packaging products.

Task 1: **Translation into English**
Translate the following telex.

```
TELEX 4437 LE 5 MARS 199.

A L'ATTENTION DE MONSIEUR THOMAS

NOTRE DEMANDE DE PRIX PORTE SUR LA FOURNITURE
ESTIMEE A 30.000 ROULEAUX DE 300 M. DE FILM ETIRABLE
PAR AN DONT 3/4 EN 0,30 M. DE LARGE.
LIVRAISON EN RECHARGES EN VRAC DESTINEES A ETRE
CONDITIONNEES EN FRANCE.

SI CE CONDITIONNEMENT EN BOITE INDIVIDUELLE A NOTRE
MARQUE PEUT S'ENVISAGER EN VOS USINES, MERCI DE NOUS
LE SIGNALER.

MERCI DE NOUS FAIRE PARVENIR UN ECHANTILLONNAGE AVEC
VOTRE PRIX.

SALUTATIONS
L. FRIGOUT
*
837242 MULRAP G
TR FRAN 63060 F
```

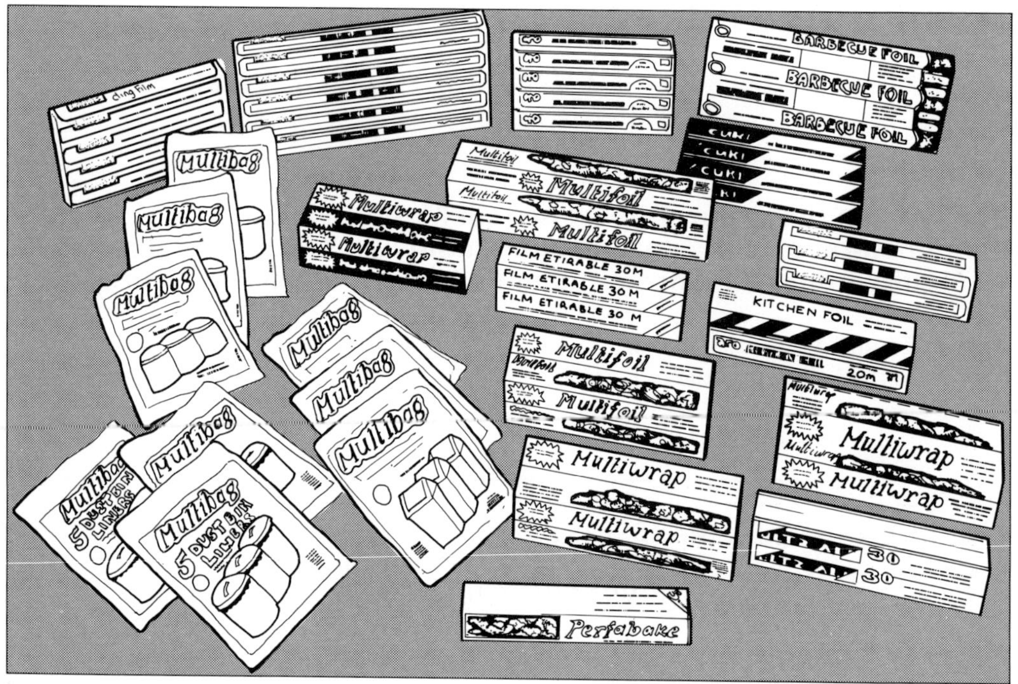

***Task 2:* Telephone call**

Give Monsieur Frigout a ring.

—Acknowledge receipt of his telex.

—Say you are in a position to supply 30,000 rolls a year in the lengths and widths they require.

—As for the packaging, the boxes can be printed in your factory but in one colour only. Or if they prefer you can supply your own brand in 4 colours.

—Should they want their own brand name in several colours you could have the boxes printed and provide them with a finished product.

—Ask if they want a quote for the rolls only or if they want a quote for the packaging as well.

—Say you'll be sending the quote by telex at the latest tomorrow afternoon.

—As far as the samples are concerned, they have already been posted.

—Thank him again for his interest in your products.

***Task 3:* Translation into English**

The Export Manager has now concluded a deal with TR France who have agreed to distribute your product under their own brand name "Distripack". Translate the contract.

***Task 4:* Telex Writing**

Send a telex to Monsieur Frigout asking him to give you 2 months' notice before he places his next order so that you can get the "Distripack" boxes printed.

TR FRANCE

siège social
boulevard de l'Ours
95006 Cergy Pontoise cedex
téléphone: 3 30 31 61 74 télex 695142
téléphone direct du signataire:
30 31 77 14

Cergy, le 3 décembre 199-

MULTIWRAP LTD
Cressex Estate
High Wycombe
Bucks HP12 3HX

A l'attention de Monsieur Dylan

CLAUSES DU MARCHE No 400536/59/IMPORT

La négociation pour la définition du nouveau prix interviendra 1 mois au minimum et 2 mois au maximum avant la date d'achèvement du prix actuel.

Si celle-ci ne devait pas aboutir à un accord, TR se réserve le droit de dénoncer le présent marché sans qu'aucune indemnité, sous quelque forme que ce soit, ne puisse lui être réclamée.

Si les conditions économiques venaient à être modifiées en cours de contrat de telle façon que TR ne soit plus en mesure de respecter les obligations lui incombant par le présent marché, une négociation interviendrait avec le fournisseur à la demande de TR France pour établir les conditions d'achat du solde restant à livrer ou à fabriquer.

Dans tous ces cas, la prolongation pour livraison du solde n'excédera pas la durée de validité du présent marché.

Les livraisons doivent être conformes aux spécifications et standards de conditionnement et donner satisfaction à l'utilisation, ce qui implique l'acceptation sans réserve des conclusions des nos services techniques.

Aucune modification, de quelque nature que ce soit, ne pourra intervenir sans accord préalable de TR.

Cette lettre doit nous être retournée signée avec l'accusé de réception du marché correspondant.

Louis Frigout
Chef du Service Achats
Produits Finis:

CACHET et VISA
Pour accord du Fournisseur

Assignment 3 *Vendre en France*

Polyvend

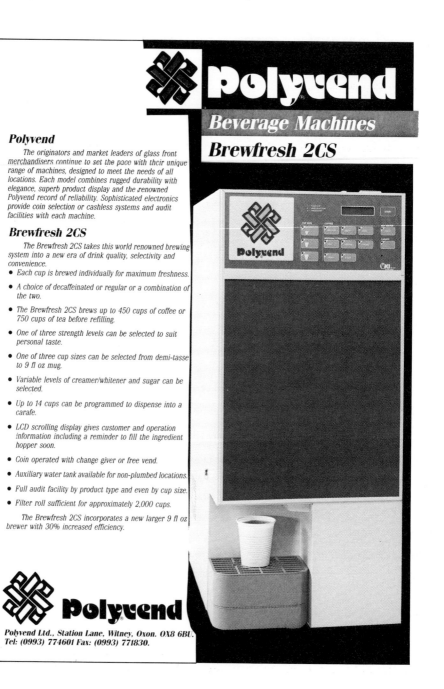

The originators and market leaders of glass front merchandisers continue to set the pace with their unique range of machines, designed to meet the needs of all locations. Each model combines rugged durability with elegance, superb product display and the renowned Polyvend record of reliability. Sophisticated electronics provide coin selection or cashless systems and audit facilities with each machine.

Brewfresh 2CS

The Brewfresh 2CS takes this world renowned brewing system into a new era of drink quality, selectivity and convenience.

- Each cup is brewed individually for maximum freshness.
- A choice of decaffeinated or regular or a combination of the two.
- The Brewfresh 2CS brews up to 450 cups of coffee or 750 cups of tea before refilling.
- One of three strength levels can be selected to suit personal taste.
- One of three cup sizes can be selected from demi-tasse to 9 fl oz mug.
- Variable levels of creamer/whitener and sugar can be selected.
- Up to 14 cups can be programmed to dispense into a carafe.
- LCD scrolling display gives customer and operation information including a reminder to fill the ingredient hopper soon.
- Coin operated with change giver or free vend.
- Auxiliary water tank available for non-plumbed locations.
- Full audit facility by product type and even by cup size.
- Filter roll sufficient for approximately 2,000 cups.

The Brewfresh 2CS incorporates a new larger 9 fl oz brewer with 30% increased efficiency.

Polyvend Ltd., Station Lane, Witney, Oxon. OX8 6BU.
Tel: (0993) 774601 Fax: (0993) 771830.

You work for Polyvend Ltd.
You have sent about 100 questionnaires to potential customers in France. One of the respondents, Monsieur/Madame Dulong (23, rue Dr Henri Meige, La Varenne St Maur, 94240, France), is very interested in your coffee machines.

***Task 1:* Telephone call**
Ring Monsieur Dulong.

—Introduce yourself.

—Thank him for returning the questionnaire so promptly and for his interest in your coffee machines.

—Say you are sending him, this very day, the brochures he has requested together with a price list. Apologize for the fact that your literature is still in English and the prices are quoted in pounds.

—Mention the fact that you will be in Paris next week, Thursday and Friday. Express the wish to meet him. As you speak French, you will be able to provide him with all the information he may require.

—Arrange a meeting.

—Express pleasure at meeting him.

***Task 2:* Letter Writing**
Send a letter to Monsieur Dulong.

—Confirm the appointment.

—Enclose brochure and price list.

—Say you are looking forward to meeting him.

***Task 3:* Aural Comprehension**
Make a note of the following information:

—dimensions

—colour

—choice

—operation and maintenance

—configurations

***Task 4:* Role Play**
You meet Monsieur Dulong.

—Greet him and apologize for being late. Got on the wrong train. Not familiar with the French R.E.R. network and you went in the opposite direction.

—Introduce yourself formally and thank him for agreeing to meet you.

—Mention the brochure you have sent him and be prepared to go through it with him. Stress what makes your machine different and better than any other on the market.

—Prices are in pounds. Point out that one only has to add a nought to convert them into francs. Prices are ex-works: insurance and transport would have to be added.

—As far as prices are concerned, you normally offer a 5% discount for a minimum order of 5 machines. However, as you are launching your product on the French market, you are prepared to offer a very good deal: an initial discount on coffee supplies and a free supply of paper filters for the first 6 months.

—As for payment terms, ⅓ on delivery and the balance within 30 days.

—Delivery: no more than 3 weeks.

—Try to secure an order.

—Installation of the machines is done by your engineers and is included in the prices.

—Guarantee for 2 years, includes parts and labour.

—Thank him for his time and say goodbye.

Vocabulary

French	*English*	*Unit*
aborder une question/un sujet	to bring up/tackle a question/subject	1
acajou(m)	mahogany	6
accorder/consentir un escompte	to give/allow a discount	10
accueil (m)	welcome	9
accueillir	to receive	9
administrateur(m)	administrator	10
administratif(-ive)	administrative	10
administration (f)	administration	10
aéroport (m)	airport	2
affaires marchent bien (les)(f)(pl)	business is going well	4
affaires vont bien/mal (les)(f)(pl)	business is good/bad	4
affichage (m)	poster advertising	11
affiche (f)	poster	11
agenda (m)	diary	1
agent (m)	agent	5
année dernière (f)	last year	7
année prochaine (f)	next year	4
annonce publicitaire (f)	advertisement	11
annulation (f)	cancellation	8
annuler	to cancel	8
appareil – à l'appareil	receiver – speaking, on the phone	1
apercevoir de quelque chose (s')	to realise/notice something	2
appel téléphonique (m)	phone call	1
appeler quelqu'un	to call someone	1
apprêter à faire quelque chose (s')	to get ready to do something	2
arrivée (f)	arrival	2
arriver à un accord	to reach agreement	10
assister à	to attend/be present at	4
assurance(f)	insurance	10
assurer	to insure	10
assurer contre (s')	to insure against	10,7
assureur (m)	insurance agent	7
atteindre une cible	to reach a target	6
atelier (m)	workshop	8
attendre à (ce que) + subj. (s')	to expect	9
atterrir	to land	2
au premier étage	on the first floor	3
au plaisir de	looking forward to . . .	7
au rez de chaussée	on the ground floor	3
au sous-sol	in the basement	3
augmenter un prix	to increase a price	7
avec douche	with a shower	3
avec/sans salle de bain	with/without bathroom	3
avis(m) – à mon avis	opinion – in my opinion	1
avoir besoin de	to need	2
avoir confiance en	to have confidence in	2
avoir l'intention de faire quelque chose	to intend to do something	6
avoir du mal à faire quelque chose	to have difficulty doing something	6
avoir envie de	to want	2

avoir hâte de	to look forward to/long to	9
avoir quelque chose à déclarer	to have something to declare	2
avoir quelque chose de prévu	to have something arranged	1
avoir raison/ avoir tort	to be right/ be wrong	9
baisse des prix (f)	fall/drop in prices	7
baisser	to lower	7
battre la concurrence	to beat the competition	7
bien connu(e)	well-known	5
biens (m)(pl)	goods	5
biens d'équipement (m)(pl)	capital goods	5
boisson (f)	drink	9
bon de commande (f)	order form	10
bon marché	cheap/inexpensive	6
brochure (f)	brochure	2
Bureau de Renseignements (m)	Information Desk	2
Bureau des Objets Trouvés (m)	Lost Property Office	2
cadres (m)(pl)	managerial staff	6
calculer un prix	to calculate a price	1
camionneur (m)	lorry driver	1
campagne (f)	campaign	1
cantonner à (se)	to restrict (oneself) to	10
capacité de production (f)	production capacity	6
casse-tête (m)	problem (lit. headache)	7
catalogue (m)	catalogue	2
célèbre	famous	5
certificat d'origine (m)	certificate of origin	10
charger de (se)	to take responsibility for	10
chauffeur de poids lourds (m)	heavy goods driver	10
chef de magasin (m)	store manager	10
chef des ventes (m)	sales manager	5
chef des achats (m)	purchasing manager	5
chef du personnel (m)	personnel manager	5
chef de production (m)	production manager	5
cher (-ère), onéreux(-euse)	expensive/costly	6
cher – ça fait cher	that's expensive	7
chômage (m)	unemployment	10
chômeur (m)	unemployed person	10
ci-inclus	enclosed	10
circonstances (f)(pl)	circumstances	10
compagnie d'assurance (f)	insurance company	7
compétitif(-ive)	competitive	7
complexe	complex	7
compliqué	complicated	4
composer un numéro	to dial a number	1
compris	included	8
comptabilité (f)	accounting/accounts department	10
comptable (m)	accountant	10
compte – à notre compte	paid for by us/at our expense	11
compter	to count	10
comptes (m)(pl)	accounts	10
concessionnaire (m)	dealer	5

concevoir (conçu)	to design (designed)	11
conclure un marché	to make a deal/clinch a deal	9
concurrence (f)	competition	7
concurrent (m)	competitor	7
conditions de livraison (f)(pl)	delivery conditions	1
confection (f)	ready-made clothes	6
confirmation (f)	confirmation	1
confirmer	to confirm	1
confirmer par écrit	to confirm in writing	3
conflits sociaux (m)(pl)	industrial disputes	10
connaître en (s'y)	to know something about	9
consigne (f)	left luggage office	2
consulter son agenda	to check one's diary	1
contenir	to contain	2
contracter une assurance	to take out insurance	7
contrat (m)	contract	5
contremaître (m)	foreman	6
convenir de	to agree on	10
coordonnées (f)(pl):	personal details	1
cours (m)	course/lesson	9
cours du franc (m)	exchange rate for the franc	7
date – à une date ultérieure	at a later date	10
décrocher (le combiné)	to pick up the phone	1
délais de livraison (m) (pl)	delivery terms	1
demande (f) /offre (m)	demand/supply	6
demande d'emploi (f)	job application	10
demande de renseignements (f)	enquiry	10
déménagement (m)	removal	7
déménager	to move	7
démission(f)	resignation	8
démissionner	to resign	8
démontrer	to show	6
départ	departure	2
désolé – je suis désolé	I'm sorry	8
difficile	difficult	7
dîner	dinner	3
directeur/directrice des achats	purchasing director	1
direction (f)	top management (decision makers)	6
disparité des prix (f)	differences in price	1
distributeur (m)	distributor	5
dommages (m)(pl) /avaries (f)(pl)	damages	11
dossier (m)	file	2
dur	hard	4
ébéniste (m)	cabinet-maker	5
ébénisterie (f)	cabinet-making	5
écart des prix (m)	price differential	11
échelle (f), échelon (m)	scale	11
(à l)'échelon national	(on a) national scale	11
effectifs (m)(pl)	workforce	6
efficace	effective	9
emballage (m)	packaging	11

embarquement (m)	embarkation	2
emploi (m)	job	10
en rupture de stock	out of stock	7
enchanté de faire votre connaissance	very pleased to meet you	5
endommager	to damage	11
engager des négociations(f)(pl)	to enter into/begin negotiations	10
engouement (m)	craze, fashion	6
enregistrer les bagages (m)(pl)	to check in the luggage	2
entrepôt (m)	warehouse	7,1
environs de Paris (m)(pl)	the area around Paris	5
envisager de	to intend to do something	6
escompte (m)	discount (for quick payment)	10
étanche	waterproof	11
étendre	to extend	6
être libre, disponible	to be free, available	1
étude de marché (f)	market survey	6
exemplaire (m)	copy	11
exercice financier (m)	financial year	10
exigeant	demanding	11
expédier	to send	1
expédition (f)/envoi (m)	shipment	10
exposant(m)	exhibitor	7
exposer	to exhibit	4
fabrication (f)	manufacture	1
fabriquer	to manufacture	1,5
facile	easy	4
faciliter	to make easier	1
facture (f)	bill, invoice	1
faire allusion à	to refer to, hint at	10
faire appel à	to call on (the help of)	6
faire concurrence à	to compete with	7
faire de la publicité pour	to advertise	11
faire (se) du souci	to worry	1
faire ressortir	to show, bring out	7
familiariser avec (se)	to get to know	7
figurer(sur une liste)	to be, appear (on a list etc.)	3
financement (m)	financing	7
financer	to finance	7
finances (f)(pl)	finance	7
fini (m)	finish	1
firme (f)	firm	1
fixer	to set, fix	1
foire/exposition (f)	trade fair/exhibition	4
fonder	to found/establish/set up	5
formation (f)	training	1
former	to train	11
fournir en quelque chose (se)	to get supplies of	1
fournisseur (m)	supplier	1
fournitures (f)(pl)	supplies	6
franco de port	carriage paid	10
fret (m)/ transport (m)	freight	5

gamme (f)	range	6
gestion (f)	management, running	8
gestionnaire des stocks (m)	stock controller	7
glaçon (m)	ice cube	9
grève (f)	strike	10
habillement (m)	clothing trade	6
hausse des prix (f)	increase in prices	1
implantation d'une firme (f)	setting up of a company	5
implanter (s')	to establish, situate	11
impliquer	to imply	11
importance du marché (f)	size of a market	6
impressionner	to impress	9
inconvénient(m)	problem, drawback	10
inclure	to include, enclose	10
inscrire (s')	to enrol	4
indicatif (m) de H.W.	code for H.W.	8
informatiser	to computerise	10
interprète (m)	interpreter	9
interrompre	to interrupt	2
juger – à en juger par	judging by	6
licencier	to make redundant, dismiss	8
licenciement (m)	redundancy	8
limiter à (se)	to limit (oneself) to	10
liste de prix (f)	price list	7
livraison (f)	delivery	10
livrer	to deliver	10
livres comptables (m)(pl)	the books (of accounts)	10
magasin (m)	shop	7
main d'oeuvre (f)	labour-force, manpower	6
manque à gagner (m)	loss of earnings	11
manquer	to miss	2
manutention (f)	handling	11
marchandise (f)	commodity	1
marchandises (f)(pl)	goods	1
marché (m)	deal, order	9
marque (f)	brand (name)	6
matières premières (f)(pl)	raw materials	6
mettre d'accord sur (se)	to agree on	10
mettre en avant	to put forward	7
mettre en grève (se)	to go on strike	10
meuble (m)	piece of furniture	1
modalités (f)(pl) de paiement	methods of payment	10
mode de paiement (m)	means of payment	10
modifier	to change	10
motivation (f)	motivation	11
motiver	to motivate	11
négociable	negotiable	10
négociations (f)(pl)	negotiations	10
négocier	to negotiate	10
notoriété (f)	fame, good reputation	5
occuper de quelqu'un (s')	to look after someone	4

occuper de quelque chose (s')	to take care of/handle/deal with something	4
offre (f)	offer	10
offre publique d'achat (O.P.A.) (f)	takeover bid	10
omettre de	to forget	10
ordinateur (m)	computer	10
oublier	to forget	4
outil (m) de production	machinery	8
ouvriers non qualifiés (m)(pl)	unskilled workers	6
ouvriers qualifiés (m)(pl)	skilled workers	6
P.D.G. (Président-Directeur-Général) (m)	Managing Director	1
parking gratuit/payant (m)	free/fee-paying car park	3
passager (m)/voyageur (m)	passenger	2
passer (se)/produire (se)/arriver	to happen, occur	3
passer à la douane	to go through customs	2
passer un coup de téléphone/un coup de fil	to give (someone) a ring	1
passer une commande	to place an order	1
patienter	to wait	2
payer en liquide	to pay cash	3
personnel (m)	staff	6
petit déjeuner (complet) (m)	(full) breakfast	3
petite/moyenne entreprise (P.M.E.)(f)	small/middle-sized company	6
plaire (plu)	to please (pleased)	5
plaisant	pleasant	5
police d'assurance (f)	insurance policy	7
politique (f)	policy	6
port dû (m)	carriage forward (unpaid)	10
poste (m)	extension (phone)	1
participer à	to take part in	4
préciser quelque chose	to give details on something, to clarify	5
prendre, fixer un rendez-vous	to make an appointment	1
prévenir quelqu'un	to inform/warn someone	4
prévisions (f)(pl)	forecasts	10
prévoir (prévu)	to plan (planned)	10
prier	to request	8
prix (m)	price	10
procédé de transformation (m)	manufacturing process	6
producteur (m)	producer	5
production (f)	production	1
produire	to produce	1
produit (m)	product	1
produit bas de gamme (m)	bottom of the range product	6
produit haut de gamme (m)	top of the range product	6
promouvoir (promu)	to promote (promoted)	4
promotion (f)	promotion	4
proposer	to suggest	7
qualité – de bonne/mauvaise qualité	good/bad quality	6
quant à moi	as for me	11
rabais (m)	special reduction (end of line)	10

raccrocher (le combiné)	to put the phone down, hang up	1
racheter une firme	to take over a company	6
rappeler quelque chose (se)	to remember something	4
ravi – je suis ravi	I'm delighted	8
réclamation (f), plainte (f)	complaint	6
réclamer, faire une réclamation	to complain	6
recruter du personnel	to recruit staff	6
récupérer les bagages (m)(pl)	to get the luggage back, reclaim luggage	2
recyclage (m)	retraining	8
recycler	to retrain	8
réduire un prix	to reduce a price	7
registre (m)	register	3
règlement (m)	settlement	10
régler	to pay	3
régler une facture	to pay a bill	3
remettre quelque chose à quelqu'un	to hand over, give	10
remise (f)	discount (for large orders)	10
remplir un formulaire, une fiche	to fill in a form	10
rencontrer	to meet	1
rendement (m)	output	8
rendez-vous (m)	appointment	1
renseigner (se)	to find out/get information/enquire	2
renvoi (m)	return	11
répartir	to divide up	11
repondre aux besoins de	to meet the needs of	6
reporter	to postpone, put off	1
représenter	to represent	5
représentant(e) (m)(f)	representative	5
réserver une place	to reserve, book a seat	3
respecter	to keep	10
retenir	to book	2
retirer (se)	to withdraw, retire	8
retour (m)	return	2
retraite (f)	retirement	8
retrouver quelque part (se)	to meet somewhere	2
réussir à faire quelque chose	to succeed in doing something	9
réussite (f)	success	9
réveil (m)	alarm call	3
réveiller	to wake up	3
revenir à	to come to, amount to	7
rigueur – à la rigueur	if need be, if we have to	6
rivaliser avec	to be in competition with	7
S.A.: Société Anonyme	limited company	1
S.A.R.L.: Société à Responsabilité Limitée	limited liability company	1
salon (m)	show, trade fair	4
saluer	to greet	9
salutations (f)(pl)	greetings	9
services (m)(pl)	services	5
siège (m)	seat/head office	2

société (f)/compagnie (f)	company	1
soulagement (m)	relief	2
souvenir de quelque chose (se)	to remember something	4
spécialiser dans (se)	to specialise in	1
spot publicitaire (m)	commercial	11
stockage (m)	stocking	7
stocker	to stock	7
stockiste (m)	stockist	7
stocks épuisés/en rupture de stock	out of stock	7
support publicitaire (m)	advertising medium	11
syndicat (m)	trade union	10
tarif (m)	tariff	10
taux (m)	rate	7
téléphoner à quelqu'un	to phone someone	1
tenir à la disposition de quelqu'un (se)	to be available for someone	11
tissu (m)/étoffe (f)	fabric/material	6
tout compris	all (charges) included/all inclusive	3
traducteur (m) traductrice(f)	translator	9
traite bancaire (f)	banker's draft	10
traite sur une banque (f)	bank draft	10
traiter avec	to deal with/do business with	6
transitaire (m)	forwarding agent	7,11
transport (m)	transport	5
transport aérien (m)	air transport	7
transport ferroviaire (m)	rail transport	7
transport maritime(m)	sea transport	7
transport routier (m)	road transport	7
transporter	to transport	5
transporteur (m)	transporter	7
travailler	to work	6
trouver/retrouver	to find	2
vanter	to praise	10
se vanter	to boast	10
vendeur (m)/vendeuse (f)	salesman/saleswoman	5
vendre	to sell	10
vente (f)	sale	1
verser de l'argent	to pay money	3,8
vol (m)	flight	2
voyager	to travel	2

English	*French*	*Unit*
accountant	comptable (m)	10
accounting documents	documents comptables (m)(pl)	10
accounting/accounts department	comptabilité (f)	10
accounts	comptes (m)(pl)	10
action	démarche (f)	6
administration	administration (f)	10

administrative	administratif(-ive)	10
administrator	administrateur (m)	10
advertise (v)	faire de la publicité pour	11
advertisement	annonce publicitaire(f)	11
advertising costs	frais publicitaires (m)(pl)	11
advertising medium	support publicitaire(m)	11
agent	agent (m)	5
agree on (v)	se mettre d'accord sur/convenir de	10
agree with (v)	être d'accord avec	10
air transport	transport aérien(m)	7
airport	aéroport (m)	2
alarm call	réveil(m)	3
apply for a job (v)	faire une demande d'emploi	10
appointment	rendez-vous (m)	1
area around Paris	environs de Paris (m)(pl)	5
arrival	arrivée (f)	2
as arranged	comme prévu	8
as for me	quant à moi	11
at a later date	à une date ultérieure	10
attend/be present(v)	assister à	4
available	disponible	10
bank draft	traite sur une banque (f)	10
be in competition with (v)	rivaliser avec	7
be, appear (on a list etc.)(v)	figurer (sur une liste etc.)	3
beat the competition (v)	battre la concurrence	7
begin with – to begin with	dans un premier temps	7
bill, invoice	facture(f)	10
boast (v)	se vanter	10
book (v)	retenir/réserver	2
books (of accounts)	livres comptables (m)(pl)	10
bottom of the range	bas de gamme	6
brand (name)	marque (f)	6
bring up, tackle (v)	aborder	1
brochure	brochure(f)	2
business is going well	les affaires (f)(pl) marchent bien	4
business is good/bad	les affaires (f)(pl) vont bien/mal	4
cabinet maker	ébéniste (m)	5
cabinet-making	ébénisterie (f)	5
calculate (v)	calculer	10
call for tender	appel d'offre(m)	10
call on (v)	faire appel à	6
call someone	appeler quelqu'un	1
campaign	campagne (f)	11
cancel (v)	annuler	8
cancellation	annulation (f)	10
capital goods	biens d'équipement(m)(pl)	5
carriage forward (unpaid)	port dû (m)	10
carriage paid	franco de port	10
carry out(v)	effectuer	6
catalogue	catalogue (m)	2
certificate of origin	certificat d'origine(m)	10

change (v)	modifier	10
cheap/inexpensive	bon marché	6
check one's diary (v)	consulter son agenda	1
check in the luggage (v)	enregistrer les bagages(m)(pl)	2
cheers!	à votre santé!	9
circumstances	circonstances (f)(pl)	10
clarify	préciser	5
clear through customs (v)	dédouancr	10
clothing trade	habillement (m)	6
code for H.W.	indicatif (m) de H.W.	8
come to, amount to (v)	revenir à	7
commercial (n)	film (m)/spot publicitaire(m)	11
commodity	marchandise(f)	1
company	société(f)/compagnie(f)	1
compete with (v)	faire concurrence à	7
competition	concurrence(f)	7
competitive	compétitif(-ive)	7
competitor	concurrent(m)	7
complain (v)	réclamer/faire une réclamation	6
complaint	réclamation(f)/plainte (f)	6
complex	complexe	4
complicated	compliqué	4
computer	ordinateur(m)	10
computer science	informatique(f)	10
computerise (v)	informatiser	10
confirm (v)	confirmer	1
confirm in writing (v)	confirmer par écrit	3
confirmation (f)	confirmation	1
contain (v)	contenir	2
contract	contrat (m)	5
convinced	persuadé/convaincu	3
copy	exemplaire(m)	11
count (v)	compter	10
course/lesson	cours (m)	9
craze/fashion	engouement(m)	6
customs clearance procedure	passage en douane(m)	1
damage (v)	endommager	1
damages	dommages (m)(pl)/avaries(f)(pl)	1
data information	information (f)	1
deal with/do business with (v)	traiter avec	6
deal/order	marché(m)	9
dealer	concessionnaire(m)	5
dear/costly	cher(-ère) onéreux(-euse)	6
deliver (v)	livrer	1
deliver ex-stock (v)	livrer sur stock	7
delivery	livraison(f)	1
delivery conditions	conditions de livraison(f)(pl)	1
delivery terms	délais (m)(pl) de livraison	1
demand/supply	demande(f) /offre(m)	6
demanding	exigeant	6
departure	départ (m)	2

design(v)	concevoir (conçu)	11
(personal) details	coordonnées(f) (pl)	1
dial a number (v)	composer un numéro	1
diary	agenda(m)	1
differences in price	disparité(f)des prix	10
difficult	difficile	7
dinner	dîner(m)	3
discount (for large orders)	remise (f)	10
discount (for quick payment)	escompte(m)	10
distributor	distributeur(m)	5
divide up (v)	répartir	11
drawback/problem	inconvénient(m) problème(m)	10
drink	boisson(f)	9
easy	facile	4
effective/ineffectivc	efficace/inefficace	9
embarkation	embarquement (m)	2
enclosed	ci-inclus	10
enquiry	demande de renseignements(f)	10
enrol at a show (v)	s'incrire à un salon	4
enter into/begin negotiations (v)	engager des négociations	10
establish/situate (v)	s'implanter	11
establish oneself in a market (v)	s'implanter sur un marché	11
exchange rate for the franc	cours du franc(m)	7
exhibit (v)	exposer	4
exhibit at a show (v)	participer à un salon	4
exhibitor	exposant(m)	4
expand/broaden (v)	étendre/élargir	6
expect (v)(that)	s'attendre à (ce que) + subj.	9
extension	poste (m)	1
fabric/material	tissu(m)/étoffe(f)	6
fall in prices	baisse des prix(f)	1
fame/good reputation	notoriété(f)	5
familiarize with (v)	se familiariser avec	11
famous	célèbre	5
fat	gros	9
file	dossier(m)	2
fill in a form (v)	remplir un formulaire/une fiche	1
finance	finances (f)(pl)	7
finance (v)	financer	7
financing	financement(m)	7
find (v)	trouver/retrouver	2
find out/get information/enquire (v)	se renseigner	2
financial year	exercice financier(m)	10
finish	fini(m)	1
firm	firme(f)	1
flight	vol(m)	2
floor – on the first floor/ground floor	au premier étage/rez de chaussée	3
forecasts	prévisions (f)(pl)	10
foreman	contremaître(m)	6
forget (v)	oublier	4
forwarding agent	transitaire(m)	7

found/establish/set up (v)	fonder/créer	5
free/fee paying car park	parking gratuit/payant(m)	3
freight	fret,(m) transport(m)	5
full breakfast	petit déjeuner (complet)(m)	3
get ready to do something (v)	s'apprêter à faire quelque chose	2
get supplies of (v)	se fournir(en quelque chose)	1
get the better of the competition (v)	l'emporter sur la concurrence	7
get to know (v)	se familiariser avec	7
give (someone) a ring (v)	passer un coup de téléphone/un coup de fil à quelqu'un	1
give details (v)	préciser quelque chose	5
give/allow a discount (v)	accorder/consentir un escompte	1
go on strike (v)	se mettre en grève	1
go through customs (v)	passer à la douane	2
good quality/bad quality	de bonne qualité/de mauvaise qualité	6
goods	marchandises(f)(pl)/biens (m)(pl)	1,5
greet (v)	saluer	9
greetings	salutations (f)(pl)	9
hand over give (v)	remettre	1
handling	manutention(f)	11
happen/occur (v)	se passer/se produire/arriver	3
hard	dur	4
have confidence in (v)	avoir confiance en	2
have difficulty doing something (v)	avoir du mal à faire quelque chose	6
have something arranged(v)	avoir quelque chose de prévu	1
have something to declare (v)	avoir quelque chose à déclarer	2
heavy goods driver	chauffeur de poids lourds (m)	10
ice cube	glaçon(m)	9
if need be/if we have to	à la rigueur	6
imply (v)	impliquer	11
impress (v)	impressionner	9
include/enclose (v)	inclure (inclus)	10
inclusive	tout compris	3
increase	hausse(f)/augmentation (f)	10
increase a price (v)	augmenter un prix	7
industrial disputes	conflits sociaux(m)(pl)	10
inform/let know (v)	prévenir	4
Information Desk	Bureau (m) de Renseignements	2
insurance	assurance (f)	7
insurance policy	police (f) d'assurance	7
insure (v)/insure against	assurer/(s')assurer contre	7
interpreter	interprète(m)	9
interrupt (v)	interrompre (interrompu)	2
job	emploi(m)	10
job application	demande (f) d'emploi	1
job market	marché (m) de l'emploi	1
judging by	à en juger par	6
keep to (v)	respecter	10
labour-force/manpower	main d'oeuvre(f)/effectifs(m)(pl)	6
land (v)	atterrir	2
left luggage office	consigne(f)	2

limit (oneself) to (v)	se limiter à	1
limited company	S.A.: Société Anonyme(f)	1
limited liability company	S.A.R.L.: Société à Responsabilité Limitée	1
look after someone (v)	s'occuper de quelqu'un	4
look forward to/long to (v)	avoir hâte de	9
looking forward to . . .	au plaisir de . . .	7
lorry driver	camionneur(m)	10
loss of earnings	manque (m) à gagner	11
lost property office	bureau(m) des objets trouvés	2
lower (v)	baisser	7
machinery	outil de production(m)	8
mahogany	acajou(m)	6
make a deal/clinch a deal (v)	conclure un marché	9
make an appointment (v)	prendre/fixer un rendez-vous	1
make easier (v)	faciliter	10
make redundant	licencier	8
management/running	gestion (f)	8
managerial staff	cadres (m)(pl)	6
Managing Director	P.D.G. (Président-Directeur-Général)(m)	1
manufacture	fabrication(f)	1
manufacture (v)	fabriquer	1
market survey	étude(f) de marché	6
means of payment	mode (m) de paiement	10
meet (v)	rencontrer	1
meet the needs of (v)	répondre aux besoins (m)(pl)de	6
methods of payment	modalités (f)(pl) de paiement	10
miss (v)	manquer	2
motivate (v)	motiver	11
motivation	motivation(f)	11
move (v)	déménager	7
need (v)	avoir besoin de	2
negotiable	négociable	10
negotiate (v)	négocier	10
negotiations	négociations (f)(pl)	10
offer	offre(f)	10
offer (v)/suggest (v)	proposer	7
opinion	opinion (f)/avis (m)	11
order form	bon de commande(m)	10
output	rendement (m)	1
packaging	emballage (m)	11
paid for by us/at our expense	à notre compte/à nos frais	11
passenger	passager/voyageur(m)	2
pay (v)	payer/régler	3
pay a bill (v)	régler une facture	3
pay cash (v)	payer en liquide	3
pay money (v)	verser de l'argent	3,8
personnel manager	chef (m) du personnel	5
phone call	appel téléphonique (m)	1
phone someone (v)	téléphoner à quelqu'un	1

pick up the phone (v)	décrocher (le combiné)	1
piece of furniture	meuble (m)	1
place an order (v)	passer une commande	10
plan (v) (planned)	prévoir (prévu)	10
please (v) (pleased)	plaire (plu)	5
pleased – pleased to meet you	enchanté de faire votre connaissance	5
policy	politique(f)	6
poster	affiche(f)	11
poster advertising	affichage (m)	11
postpone/put off (v)	reporter	1
praise (v)	vanter les mérites de	10
price list	liste de prix(f)/tarif(m)	10
problem (lit. headache)	casse-tête(m)	7
processing	procédé (m) de transformation	6
produce (v)	produire	1
producer	producteur(m)	5
product	produit(m)	11
production	production(f)	1
production capacity	capacité (f) de production	6
promote (v) (promoted)	promouvoir (promu)	4
promotion	promotion (f)	4
purchasing director	directeur/directrice des achats	1
purchasing manager	chef (m) des achats	5
put forward (v)	mettre en avant	7
put the phone down/hang up (v)	raccrocher (le combiné)	1
rail transport	transport ferroviaire (m)	7
raw materials	matières premières(f)(pl)	6
reach a target (v)	atteindre une cible	6
reach agreement (v)	arriver à un accord	10
ready-made clothes	confection(f)	6
realise/notice something (v)	s'apercevoir de quelque chose	2
receive (v)/welcome	accueillir	9
reclaim (luggage)	récupérer les bagages (pl)	2
recruit staff (v)	recruter du personnel	6
reduce a price (v)	réduire un prix	7
reduction (special – end of line)	rabais (m)	1
redundancy/dismissal	licenciement(m)	8
refer to/hint at (v)	faire allusion à	10
register	registre (m)	3
relief	soulagement(m)	2
remember (v)	se rappeler quelque chose/se souvenir de quelque chose	4
removal	déménagement(m)	7
represent a firm (v)	représenter une compagnie	5
representative	représentant(e)(m)(f)	5
request (v)	prier/demander	8
reserve (v)	retenir/réserver	3
resign (v)	démissionner	8
resignation	démission (f)	8
restrict (oneself) to (v)	se cantonner à	10
retire (v)	se retirer	8

retirement	retraite (f)	8
retrain (v)	recycler	8
retraining	recyclage (m)	8
return	retour (m)	2
return (sending back)	renvoi (m)	11
road transport	transport (m) routier	7
sale	vente (f)	1
sales manager	chef (m) des ventes	5
salesman/-woman	vendeur/-euse	5
scale	échelle (f) échelon (m)	11
scale – on a national scale	à l'échelon national	11
sea transport	transport (m) maritime	7
seat	siège (m)	2
sell(under cost price)(v)	vendre (à perte)	10
send a telex (v)	envoyer un telex	1
services	services (m)(pl)	5
setting up of a company	implantation (f) d'une firme	5
settlement	règlement(m)	10
shipment	expédition (f)/envoi (m)	10
shipper/forwarding agent	transitaire(m)	11
shop	magasin (m)	7
show	salon(m)	4
show (v)	démontrer	6
skilled	qualifiés	6
small/middle-sized company	petite-moyenne-entreprise (une P.M.E.)	6
sorry – I'm sorry	désolé – je suis désolé	8
specialise in (v)	se spécialiser dans	1
staff	personnel(m)	6
stock (v)	stocker	7
stock – out of stock	en rupture de stock/stocks épuisés	7
stock controller	gestionnaire (m) des stocks	7
stocking	stockage(m)	7
store manager	chef de magasin(m)	10
strike	grève (f)	10
succeed in doing something (v)	réussir à faire quelque chose	9
success	réussite (f)	9
suggest (v)	proposer	7
supplier	fournisseur (m)	1
supplies	fournitures (f)(pl)	10
supply (v)	fournir	10
take care of/handle/deal with something(v)	s'occuper de quelque chose	4
take out insurance (v)	contracter une assurance	7
take over a company (v)	racheter une firme	6
take responsibility for(v)	se charger de	10
takeover bid	offre publique (f) d'achat (O.P.A.)	10
take part in(v)	participer à	4
tariff	tarif(m)	10
terms of payment	modalités de paiement	10
top management (decision makers)	direction(f)	6

top of the range product	produit (m) haut de gamme	6
trade fair/exhibition	foire(f)/exposition(f)	4
trade union	syndicat (m)	10
train (v)	former	11
training	formation (f)	11
translator	traducteur (m)/traductrice (f)	9
transport	transport (m)	5
transport (v)	transporter	5
transporter	transporteur (m)	7
travel(v)	voyager	2
unemployed person	chômeur(m)	10
unemployment	chômage(m)	10
union	syndicat (m)	10
unskilled workers	ouvriers (m)(pl) non qualifiés	6
very pleased to meet you	enchanté de faire votre connaissance	5
wait (v)	patienter/attendre	2
wake up (v)	réveiller	3
warehouse	entrepôt (m)	7
waterproof	étanche	11
welcome	accueil(m)	9
well-known	bien connu(e)	5
work at full capacity (v)	travailler à plein rendement	6
workshop	atelier (m)	8
worry (v)	se faire du souci/s'inquiéter	1